ちくま新書

人類5000年史 Ⅳ
――1501年～1700年

出口治明
Deguchi Haruaki

1287-4

人類5000年史Ⅳ――1501年〜1700年【目次】

第九章 第五千年紀後半の世界、その1
一六世紀の世界（一五〇一年から一六〇〇年まで） 007

（1）中央ユーラシアの動向と地中海世界

（2）アジアの動向と宗教改革の進展

図版作成＝朝日メディアインターナショナル株式会社

『人類5000年史Ⅰ――紀元前の世界』目次

『人類5000年史Ⅱ――紀元元年～1000年』目次

『人類5000年史Ⅲ――1001年～1500年』目次

第九章

第五千年紀前半の世界、その1
一六世紀の世界（一五〇一年から一六〇〇年まで）

第五千年紀後半の世界の劈頭を飾る一六世紀。現代の歴史学に大きな変革を巻き起こしたフェルナン・ブローデル（一九〇二〜八五）の大著、「地中海」も、イマニュエル・ウォーラーステイン（一九三〇〜二〇一九）の名著、「近代世界システム」も、同じく一六世紀から筆を起こしています。印刷・出版技術がヨーロッパでも広く普及して、史料や文献の量はそれまでの時代とは比較にならないほど増大しました。歴史学が学問足りうる素地が十分に整ったのです。しかし、そのことは同時に歴史学が専門化に向かう端緒ともなりました。

この一六世紀を象徴する言葉を挙げてみると、盛期ルネサンス、宗教改革、イエズス会、コロン（コロンブス）交換、コンキスタドール（新大陸の征服者）、ユグノー戦争、アルマダ海戦、鉄砲、後期倭寇、石見銀山などがあげられます。ヨーロッパでは、フランスとハプスブルク家が争い、宗教改革の大きなうねりが生じました。アジアでは、サファヴィー朝やムガール朝などの大帝国が誕生し、アジアとヨーロッパに跨るオスマン朝は極盛期を迎えます。また、一六世紀の世界は、銀を交換手段とする交易が全盛を極めた時代でもありました。新大陸と日本から銀が豊富に供給され、世界の流動性が潤沢に確保されたのです。絹やお茶などの豊富な世界商品と引換えに銀を大量に飲み込んだ明（中国）では、税金の銀納（一条鞭法）が始まりました。

交易の舞台は地中海から大西洋やインド洋に移りました。この結果、イタリアの世紀が終わってヴェネツィアやジェーノヴァが衰退し、リスボンの短い春を経て、早くも一六世紀前半には、スペイン帝国の港湾都市アントウェルペン（アントワープ）、次いでアムステルダムが世界交易の中心都市として浮上してきます。

シュペーラー極小期（一四五〇～一五五〇の太陽活動の低下による寒冷期）以降、気候が温暖化して、ユーラシア全域にわたって、生産活動が活発化しました。

ヨーロッパでは、銀の大量供給などによりインフレーションが起こって価格革命（物価はこの一世紀間に三倍）が生じました。その結果、地主階級が没落して、商人階級がそれに取って代わりましたが、生産拠点は、ギルドによって厳しく規制された都市から、徐々に規制のない農村部へと拡がっていきました。これによって、生産力の増大を果した商人は、これまでのような国際交易に留まらず、国内市場の育成・開放にも目を向けるようになりました。ここに至って、国家と商人は利害を共にすることに気づいたのです。

(1) 中央ユーラシアの動向と地中海世界

†イスマーイール一世と十二イマーム派

ジョチ・ウルスの流れを引くトルコ系ムスリムの遊牧集団ウズベクは、アブル＝ハイル・ハン（在位一四二八～六八）の時代にジョチ・ウルスから独立してキプチャク草原東部にシャイバーニー朝（～一五九九）を開きましたが、その孫であるムハンマド・シャイバーニー・ハン（在位一五〇〇～一〇）の時代になると強盛になり、南下してサマルカンド（一五〇〇）とヘラート（一五〇七）を攻略し、二つのティムール朝政権を滅ぼしました。なお、ジョチ・ウルスは、一五〇二年にクリミア・ハン国によって都サライを攻略されて滅亡しました。

ティムール朝サマルカンド政権の君主であったバーブルは、追われてアフガニスタンのカーブルに拠点を移しました。バーブルは、何度もシャイバーニー朝に反撃を試みますが、その都度撥（は）ね返されて矛先（ほこさき）をインドに向けるようになります。

インドでは、アフガン系のローディー朝（一四五一～一五二六）が一五〇六年より新都アーグラの造営に取り掛かっていました。

イラーンの西部では、サファヴィー教団のイスマーイール一世（在位一五〇一～二四）が、一五〇一年、アクコユンル朝（白羊朝。一三七八～一五〇八）を破って、その都タブリーズに入城しました。サファヴィー教団は、二〇〇年の歴史を持つスンナ派の神秘主義教団でしたが、イスマーイールの祖父、ジュナイドは、軍事力に優れた東アナトリアやアゼルバイジャンのトゥルクマーンを組織化するためにシーア派（一二イマーム派）に転向し、父、ハイダルは、トゥルクマーンに赤い棒の周りを白い布で囲んだ独特のターバンを被らせました。以後、サファヴィー教団員はクズルバシュ（赤い頭）と呼ばれるようになります。

クズルバシュ

根拠地が近接するアクコユンル朝の英主、ウズン・ハサン（在位一四五三～七八）は、妹をジュナイドに嫁がせて懐柔を図りましたが、教団の戦闘的な性格は変わらず、ジュナイドもハイダルも、イスマーイール一世の兄も、アクコユンル朝に敗れて相次いで戦死しました。イスマーイール一世は、その仇（あだ）を討ったのです。イ

16世紀のインドとイラーン地域

スマーイール一世は、スルターンではなく、ペルシャ伝統のシャーを称しました。この伝統は、二〇世紀まで引き継がれることになるでしょう。なお、ヘラートでは、同じ一五〇一年、ティムール朝に仕えた政治家でウズベク文学の祖と呼ばれる大詩人ミール・アリー・シール・ナヴァーイー（一四四一〜）が没しています。旧日本軍の兵士が建設に携わったタシケントのナヴォイ劇場は彼に因んだ命名です。

両雄並び立たずといいますが、東西の英雄は、一五一〇年、メルヴ近郊で激突し、ムハンマド・シャイバーニー・ハンは討ち死にしました。イスマーイール一世は、ムハンマド・シャイバーニー・ハンの髑髏に金箔を張り杯として勝利を祝ったと伝えられています。クズルバシュには、冒頓単于以来の遊牧民の呪術的な伝統が受け継がれていたのでしょう。イスマーイール一世の時代の一二イマーム派は、このように原始的な呪術信仰と結びついていたのです。それは、洗練された文化を誇ってきたペルシャの伝統とは、かけ離れたものでした。

イラーン全土が、一二イマーム派を受け入れるのには、なお、一世紀を要することになるでしょう。

ところで、シーア派は、預言者の血を引くアリーの系統であるイマーム（指導者）の無謬性（むびゅう）をその特徴としていますが、誰をイマームに認定するかで、分裂を繰り返してきました。一二イマーム派は、カルバラーの殉教者であるフサインの男系子孫にイマームの位が受け継がれたと主張しています。

なお、この系統には、婚姻により、サーサーン朝の直系の血も引き継がれているのです。そして、一二代イマーム、ムハンマド・ムンタザルは、八七四年に幽隠（ガイバ）の状態に入り、終末に再臨して正義を実現するとされています。

それまでは、ウラマーと呼ばれる聖職者がイマームの権限を代行します。現代のイラーンの最高指導者、ハメネイ師は、イマームが再臨するまでの聖権を預かるウラマー（イラーンでは、最高位のウラマーをアーヤトッラーと呼びます）なのです。従って、イラーンの体制は、一二イマーム派の教義に忠実に則（のっと）っているのです。

アルブケルケ

ポルトガルのインド洋への進出

†ポルトガルのインド洋進出

メルヴの戦いと同じ一五一〇年、ポルトガルの二代目インド総督、アフォンソ・デ・アルブケルケ（一四五三〜一五一五）は、インドのゴアを占領し、アジア支配の拠点としました。一六隻の艦隊を率いて一五〇六年にリスボンを出航したアルブケルケは、インドに赴任する途中に紅海入口のソコトラ島とペルシャ湾入口のホルムズ島を占領し（一五〇七）、インド洋交易の要衝を手中に収めました。なお、鄭和艦隊も訪れた東アフリカのスワヒリ海岸の交易の要衝マリンディや、モンバサ、キルワ（世界遺産）などはヴァスコ・ダ・ガマ以来ポルトガルが既に押さえていました。

このポルトガルの攻勢に、それまでインド洋交易を担っていたエジプトのマムルーク朝とインドのグジャラート・スルターン朝は連合してポルトガルに戦いを挑みます。それが一五〇九年の、インドのディーウ沖の海戦です。ポルトガルの指揮官は、アルブケルケの前任の初代インド総督、フランシスコ・デ・アルメイダ（一四五〇頃～一五一〇）でした。アルメイダの息子ロウレンソは、チャウルの戦い（一五〇八）でマムルーク朝の艦隊に敗れて戦死していたのです。

この海戦に勝利したポルトガルは一挙にインド洋交易の主人公に躍り出ます。アルブケルケは、翌一五一一年にはマラッカも占領し、インド洋各地のイスラーム港湾を攻撃してポルトガルの制海権の確保に努めました。一昔前の鄭和艦隊の平和外交に慣れ親しんでいたインド洋諸国は、乱暴で好戦的なポルトガル艦隊の前には、ひとたまりもなかったのです。

アルブケルケの目的は、胡椒（こしょう）でした。胡椒は、中国でも大きな需要があったので、遠路、リスボンに運ぶよりは、中国に輸出する方が遥（はる）かに有利だったのです。モンゴル帝国が整備した海の道は、鄭和艦隊によって秩序が保たれ、インド洋は文字通り平和な交易の海となっていました。

しかし、明の鎖国によって、鄭和艦隊は突如姿を消し、海の道には、大きな権力の空白が生じていました。そこに、海民の共和国ともいうべき後期倭寇や冒険的なポルトガル商人が侵入することによって、一旦途切れたかに見えた海の道は、東西から、再び結節されようとしていたのです。この時代の、おそらく最高の海軍軍人であったアルブケルケは、後期倭寇のネットワークに注目していました。こうして、両者が結びついたのです。ポルトガルは、マヌエル一世（在位一四九五～一五二一）のもとで、インド洋の覇権を確立し黄金期を迎えることになりました。

セリム１世

†オスマン朝の拡大

オスマン朝で、果断な性格のセリム一世（在位一五一二～二〇）が即位すると、アナトリアの遊牧民を巡って、イスマーイール一世との対決は不可避なものとなりました。一五一四年、両者が激突したチャルディラーンの戦いは、遊牧民が初めて鉄砲に遭遇したバシュケントの戦いの二の舞いとなりました。四〇年前の戦いと同じように、騎馬軍団クズルバシュは、火器を装備したイェニチェリの前に脆くも潰え去ったのです。冒頓単于から数えれば一七〇〇年以上、ユーラシア最強を誇った草原の遊牧民（騎馬軍団）の時代は終わろうとしていました。

大まかに述べれば、この一七〇〇年間、気候変動を主因とした遊牧民の膨張や移動が、ユーラシアの歴史地図を塗り替えてきたのです。すなわち、草原の遊牧民の歴史が、実は、ユーラシア史の中核だったのです。

中国のように、文字で細かく記録されなかったが故に、これまで知られることは少なかったのですが、モンゴル高原からキプチャク大草原を経てハンガリー大平原に至る草原に居住する遊牧民は、この戦い以降は、歴史の主役の座を降りて脇役に回ることになったのです。オスマン朝に対抗するために、ハンガリーやポーランドも鉄砲で武装することを余儀なくされました。

これによって、ポーランドからハンガリーを経てオスマン朝に至る火器のカーテンが降ろされ（火薬帝国の並立）、草原の遊牧民はヨーロッパに入ってくることができなくなりました。こうして、ヨーロッパは東方からの進入路が閉ざされたことによって、歴史上初めてヨーロッパとしての固有の地域的なまとまりが生まれたのです。なお、一五一三年にはオスマン朝の海軍軍人ピーリー・レイース（一四六五頃～一五五四）が、アメリカ大陸を描いた史上最古の地図を作成しています。

イスマーイール１世

セリム一世は、サファヴィー朝との講和を済ませると、軍をシリアに向けました。一五一七年、セリム一世は、エジプトを攻略し、マムルーク朝は滅びました。紅海を経由するインド洋との交易ルートをポルトガルに押さえられた時点で、マムルーク朝の命運は尽きていたのです。

セリム一世は、更に、マッカ、マディーナ、それに

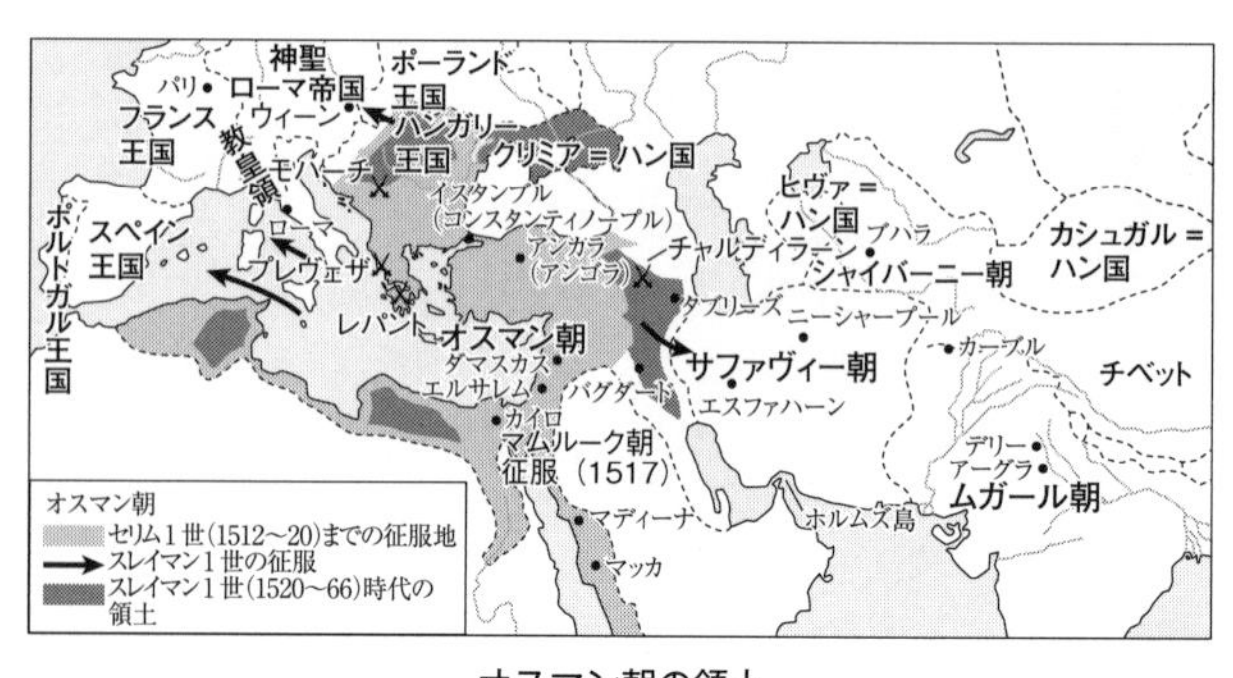

オスマン朝の領土

イエメンをも手中に収め、イスタンブルに凱旋しました。セリム一世は、イスラーム世界の最高の称号である、あのバイバルスが始めた「二聖モスクの守護者」になったのです。セリム一世は、父から受け継いだ領土を三倍近くまで拡大したことになります。

なお、マムルーク朝に庇護されてきたアッバース家最後のカリフが、セリム一世にカリフの座を譲渡し、スルターン＝カリフ制が成立したと、説かれることがあります。しかし、当時のセリム一世は昇天の勢いであって、カリフの権威を必要とはしていませんでした。スルターン＝カリフ制という伝承は、オスマン朝が斜陽を迎えた一八世紀末以降、説かれることになります。

一五二〇年、セリム一世の子どものスレイマン一世（大帝、ソロモンのトルコ語読みです）が即位しました（在位～一五六六）。オスマン朝は、最盛期を迎えつつありました。一五二一年、ベオグラード、一五二二年、ロードス島（ヨハネ騎士団が守っていましたが放逐され、マルタ島に移りました。これ以降、ヨハネ騎士団は、マルタ騎士団と呼ばれるようになります）、一五二五年、アルジェリアと快進撃を続けたスレイマン一世は、一五二六年、モハーチの戦いでハンガリー軍を一蹴し、一五二九年にはウィーンを約二か月にわたって包囲しました。ハンガリー王（兼ボヘミア王）のラヨシュ二世（在位一五一六～）は、モハーチで戦死しました。

ラヨシュ二世は、ヤギェウォ家のボヘミア王（兼ハンガリー王）、ウラースロー二世（在位一四七一～一五一六）の長男でした。東欧の支配を狙っていたハプスブルク家の神聖ローマ皇帝マクシミリアン一世（在位一五〇八～一九）は、ポーランド、リトアニア、ハンガリー、ボヘミアを統治するヤギェウォ家を牽制するためモスクワ大公国を支援していましたが、一五一五年、ウィーンでヤギェウォ家のウラースロー二世、その弟のポーランド王（兼リトアニア大公）、ジグムント一世（在位一五〇六～四八）と三者会談を行い、両家の婚姻による同盟を締結しました。ハプスブルク家のお家芸の政略結婚で、マクシミリアン一世の孫にあたるフェルディナント一世、マリアが、それぞれ、ウラースロー二世の子どものアンナ、

スレイマン1世

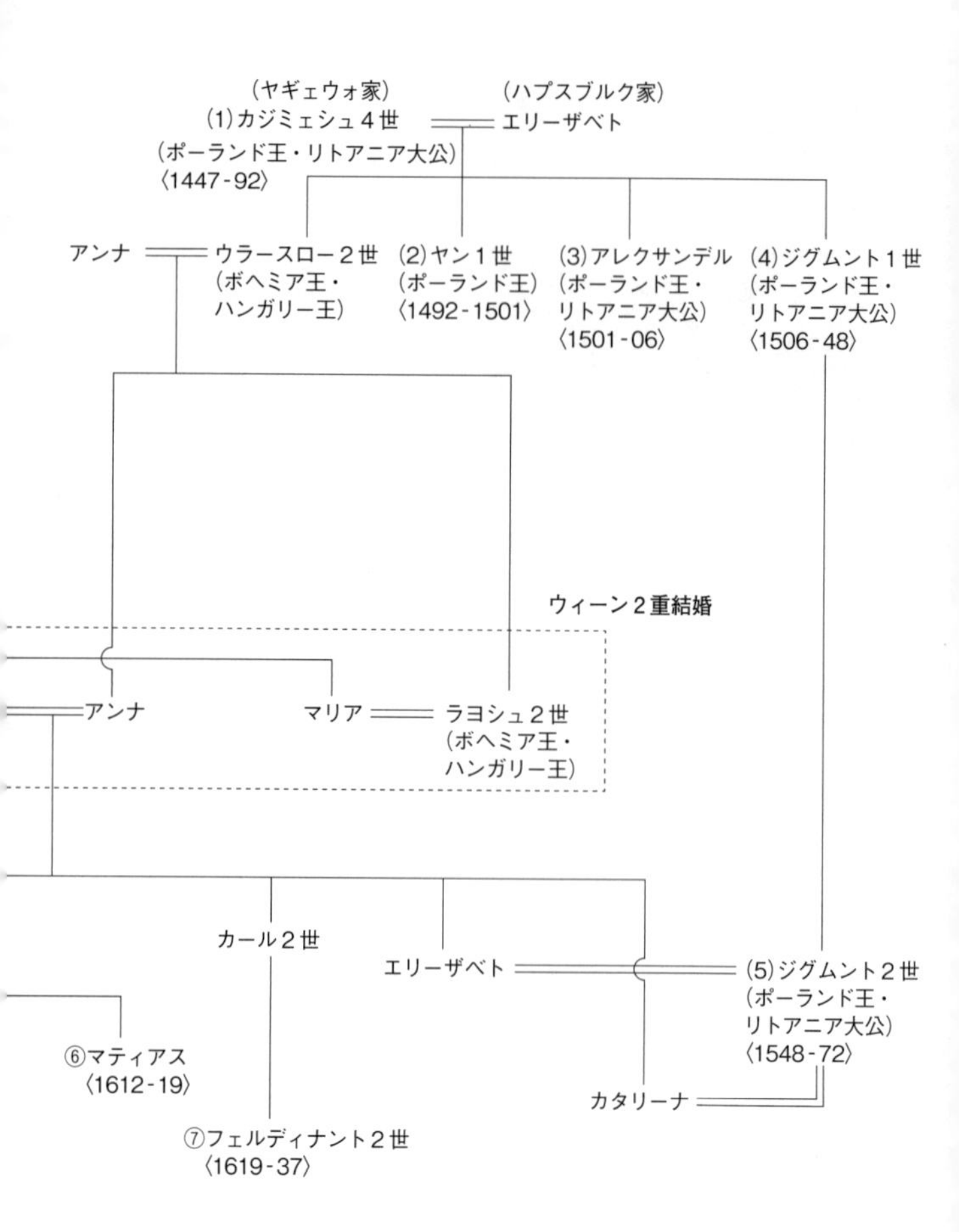

①～　神聖ローマ皇帝即位順
(1)～　ポーランド王即位順
〈　〉内年号は在位期間

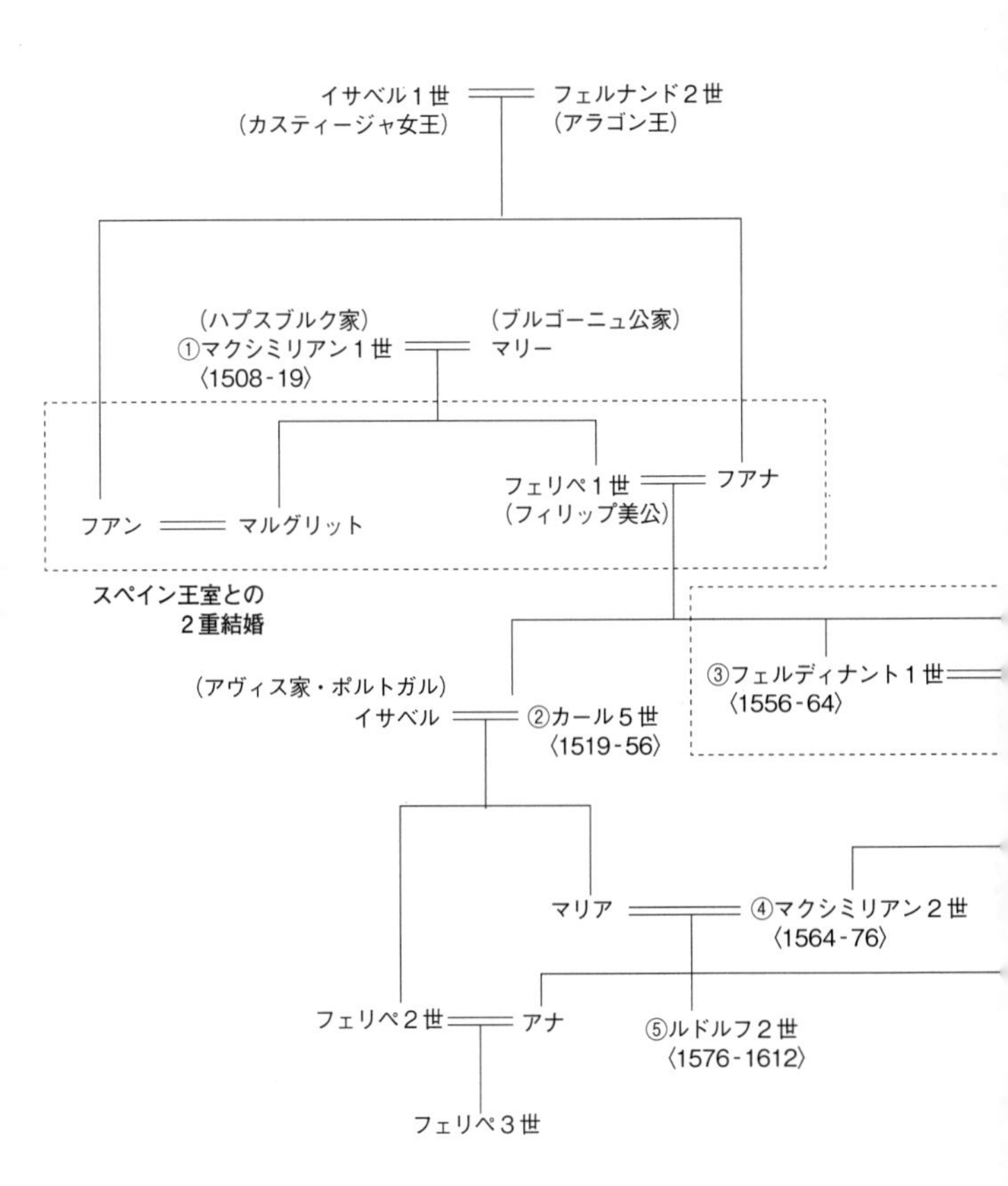
イサベル1世
(カスティージャ女王)
フェルナンド2世
(アラゴン王)
(ハプスブルク家)
①マクシミリアン1世
〈1508-19〉
(ブルゴーニュ公家)
マリー
フェリペ1世
(フィリップ美公)
フアナ
フアン
マルグリット
スペイン王室との
2重結婚
(アヴィス家・ポルトガル)
イサベル
②カール5世
〈1519-56〉
③フェルディナント1世
〈1556-64〉
マリア
④マクシミリアン2世
〈1564-76〉
フェリペ2世
アナ
⑤ルドルフ2世
〈1576-1612〉
フェリペ3世

ハプスブルク家の結婚

ラヨシュ二世と、結婚することになったのです。これをウィーン二重結婚と呼んでいます。

ところが、モハーチの戦いでラヨシュ二世が子どもを残さずに戦死したため、ボヘミア王位とハンガリー王位がフェルディナント一世の手に転がり込んできたのです。しかし、ハンガリーでは、スレイマン一世の後ろ盾を得たトランシルヴァニアの領主、サポヤイ・ヤーノシュが対立王としてハンガリー東部の実効支配に成功、ヤーノシュ一世（在位一五二六〜四〇）を名乗ります。そして、ヤーノシュ一世の死後、東部ハンガリーの大部分はオスマン領となりました。残された東ハンガリーの一部を統治していたヤーノシュの息子（ヤーノシュ二世）が一五七〇年に王位を放棄したため、ハプスブルク家（フェルディナント一世の子どものマクシミリアン二世）がハンガリーの王位を名実ともに獲得することになったのです。ただし、東ハンガリーの大半はオスマン領のままでした。

†ムガール朝の始まりとシェール・シャー

モハーチの戦いと同じ一五二六年、インドに攻め入ったバーブルは、鉄砲を有効に活用して、数に勝るローディー朝をパーニーパットの戦いで破り、デリーに入ってムガール朝を開きました。ムガールとは、モンゴルの訛りで、実態は第二次ティムール朝でした。ムガール朝の君主は、ティムール以来のアミールを名乗り続けることになります。

サファヴィー朝では、一五二四年、イスマーイール一世の子どもの二代、タフマースブ（在位～一五七六）が、一〇歳で即位しました。タフマースブは、スレイマン一世の三回にわたる東征によく耐え、シャイバーニー朝の大軍を撃破し（一五二九）、クズルバシュを押さえて、帝国の土台を固めました。

サファヴィー朝対オスマン朝、シャイバーニー朝の争いは、シーア派対スンナ派の争いと説明されることもあります。確かにその側面がなかったとはいえないと思いますが、オスマン朝との争いは、ローマ対ペルシャの伝統を引くものであり、シャイバーニー朝との争いは、東部のホラーサーンとペルシャ中央部の、これも伝統的な争いの要素がむしろ大きいものと思われます。

バーブル

サファヴィー朝が、スンナ派のムガール朝と、時には敵対しながらも親密な関係を維持していたように、シーア派国家とスンナ派国家の間で、宗派の違いを主因とした宗教戦争は、実は、歴史上、ほとんど見られないのです。もちろん、キリスト教国で行われた異端審問や魔女裁判のような迫害も見られません。シーア派を国教としたブワイフ朝やファーテイマ朝は、国内のスンナ派民衆の改宗には、ほとんど興味を示しませんでした。民衆への布教に熱心だったサファヴィー朝は、イスラーム世界の伝統からすれば、かなり例外的な政権だったのです。ローマ教会とルター派、カルヴァン派の血腥い宗教戦争に慣れている私たちは、同じような争いが、スンナ派とシーア派の間でも繰り広げられたに違いないと思いがちですが、イスラーム世界の宿命のライバルの物語の大半は、メディアが創り出した幻影だと考えていいと思います。

北部ベトナムでは明の支配から脱して独立を回復した黎朝（一四二八～）が王室内の争い等で弱体化し、一五二七年に重臣のマク・ダン・ズン（莫登庸。莫太祖。在位一五二七～二九）に簒奪されました。こうして莫朝が始まりましたが、グエン・キム（阮淦。一四六八～一五四五）が黎朝の一族をかついでタインホア（清化）で黎朝を復活させました。こうして六〇年近く続いた南北朝時代が始まりました。

ところで、建国間もないムガール朝には、大きな試練が待っていました。一五三〇年、ラージプートやベンガルまで領土を拡げたバーブルが没し、第二代、フマーユーン（在位～四〇、五五～五六）が即位しました。因みにバーブルの「バーブル・ナーマ」は自伝の最高傑作の一つです。間野英二の素晴らしい翻訳（東洋文庫）があります。

バーブルに仕えたアフガン族のシェール・シャーが、ベンガル、ビハールに大勢力を築きつつあったので、一五三九年、フマーユーンは東インドに親征しましたが、チャウサの戦いで敗北し、シェール・シャーは、スール朝（〜一五五五）を開きました。そして、翌一五四〇年、カナウジの戦いで再度、フマーユーンを撃破し、ムガール勢力をインドから追い払ってしまいました。フマーユーンは、万策尽きてサファヴィー朝に亡命しました。子どものアクバルはアフガニスタンを統治していた二人の叔父のもとで辛酸を嘗めることになります。

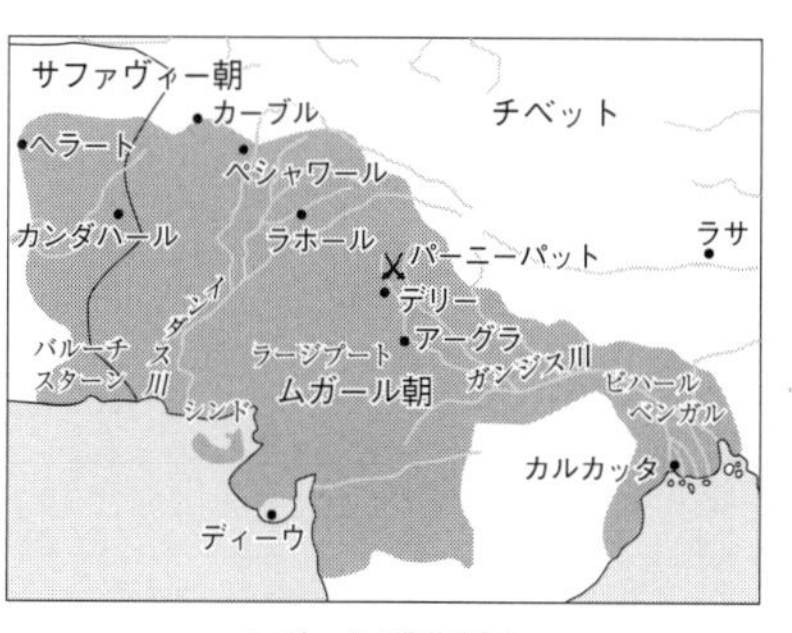

ムガール朝の領土

なお、一五三八年、シク教の開祖、グル・ナーナクが没しています。パンジャーブ地方で生まれたシク教は、ヒンドゥー教にイスラームの要素を加えた新しい宗教で、輪廻転生を信じますが、カースト制は否定しています。

シェール・シャーは、在位こそ短かったものの（〜一五四五）、行政手腕に優れた精力的な名君で、ローディー朝のシカンダル（在位一四八九〜一五一七）の地租台帳をベースとして土地台帳を整備し、徴税官と査察官からなる徴税組織を確立しました。その上に、重量と純度の統一された新しいルピーと呼ばれる貨幣（銀貨）を発行し、またデリーやアーグラを基点とする道路網・駅伝制度の拡充に努めました。今日のインド、パキスタンの幹線道路の元はこの時代に建設されたものです。

そして、北インドを四七の県（サルカール）に分け、その下に郡（パルガナ）を置きました。スール朝は、一五年という短命政権でしたが、アクバル大帝のいわば地ならしを行ったのです。秦や隋のような役割を果したといえるでしょう。パキスタン北部のロータス城塞（世界遺産）は、スール朝の栄華を今に伝える数少ない歴史の証人です。

しかし、シェール・シャーの後継者はみな無能で、一族間の間で深刻な争いが生じ、スール朝は衰退して行きます。一五五五年、フマーユーンは、デリーを奪回し、ムガール朝は再興されました。しかし、翌一五五六年、フマーユーン（幸運の意味）は、書庫の階段から転落死して、一三歳のアクバル（在位～一六〇五）が即位しました。

モンゴル帝国の全盛期から、約二〇〇年、ユーラシアは、明、ムガール朝、サファヴィー朝、オスマン朝という四つの帝国に分割されました。やがて、最後の帝国（ロシア）がこれに加わることになるでしょう。

†イタリアの混迷と盛期ルネサンス

卓抜な外交手腕（勢力均衡）を発揮したメディチ家のロレンツォ（ロレンツォ・デ・メディチ）が死んだ後（一四九二年）、シャルル八世（在位一四八三～九八）に率いられたフランス軍が

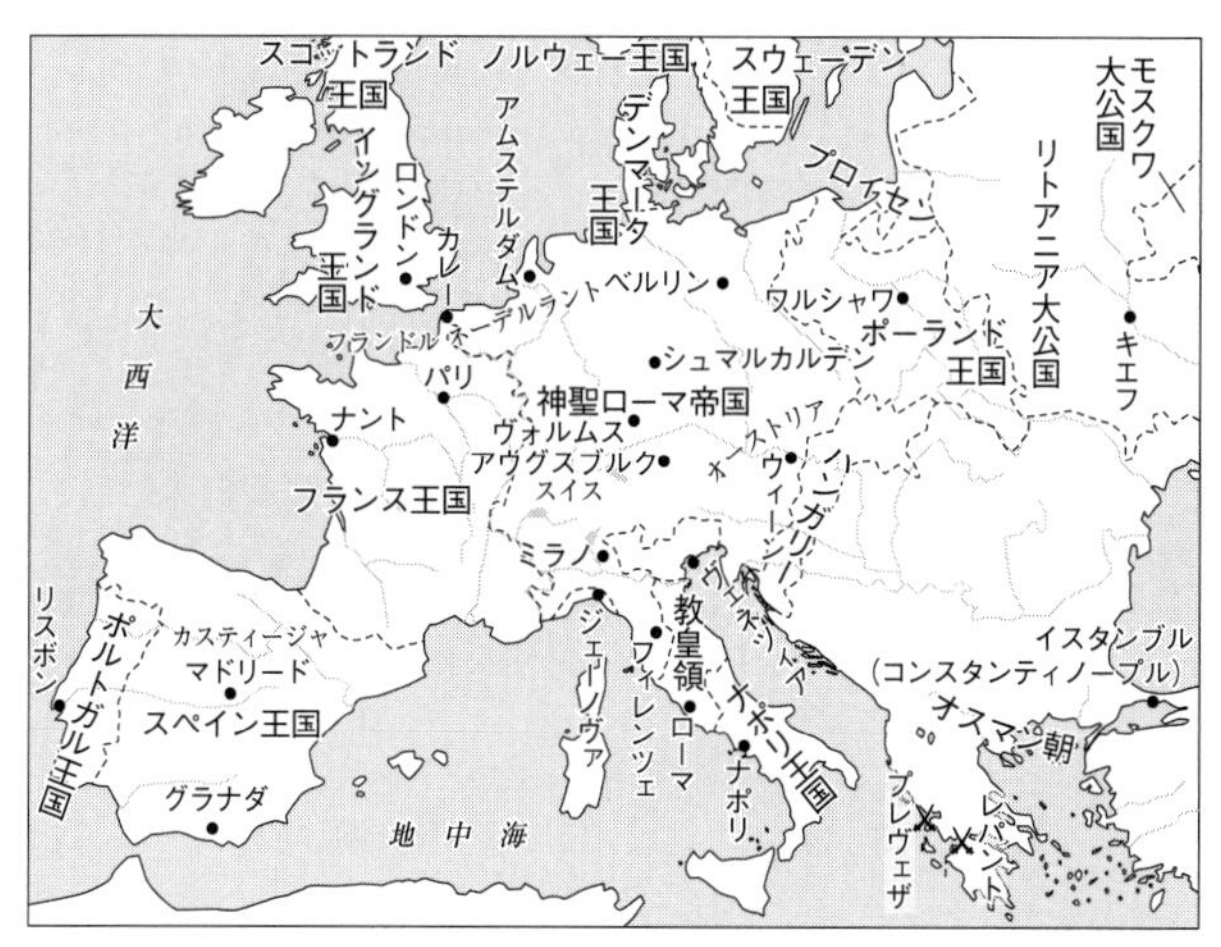

16世紀のヨーロッパ

一四九四年に侵入し国土を蹂躪されたイタリアは、長らく十字軍特需で栄え、ルネサンスを謳歌する西欧で最も豊かな地域でした。

しかし、政治的には後進地域であって、五つの強国（ミラノ、ヴェネツィア、フィレンツェ、ローマ教皇領、ナポリ王国）がお互いにしのぎを削る状況では、中央集権体制を確立したフランスやオスマン朝などの大国には、到底太刀打ちできないことは火を見るよりも明らかでした。

百年戦争に勝利してイングランドの脅威を取り除いたフランスは、イタリアに目を向け、一三世紀にシャルル・ダンジューが建国して一四三五年までアンジュー家が統治していたナポリ王国の継承権は、フランス王が持つと主張していたのです（第一次イタリア戦争。一四九四〜九五）。シャルル八世の進軍は、イタリア諸侯の抵抗によって挫折しましたが、以降、フランスはイタリアへの介入を継続することになります。

シャルル八世を継いだ傍系オルレアン家のルイ一二世（フランス王シャルル五世の子どものオルレアン公ルイ一世の孫。在位一四九八〜一五一五）は、ナポリ王位に加えて、初代ミラノ公、ジャン・ガレアッツォ・ヴィスコンティの娘であったヴァレンティーナ・ヴィスコンティ（オルレアン公ルイ一世の妃）の孫であることを理由に、ミラノ公位をも要求して、一四九九年ミラノに侵入、ミラノ公ルドヴィーコ・スフォルツァ（イル・モーロ。在位一四九四〜一五〇〇）を捕縛してミラノを併合しました（第二次イタリア戦争。〜一五〇四）。

ルイ12世

野心家のルイ一二世は、ルイ一一世の娘（シャルル八世の姉）である王妃、聖ジャンヌと離婚し、シャルル八世の未亡人でブルターニュ女公のアンヌ（在位一四八八〜一五一四）と再婚して将来のブルターニュの併合を企ててもいます。しかし、ナポリ王国への遠征には失敗し（一五〇三年のチェリニョーラの戦いとガリリャーノの戦いでスペイン軍に敗退）、一五〇四年に結ばれたリヨン条約で、フランス王はナポリ王国の継承権を放棄し、レコンキスタを実現したイサベル一世の夫、アラゴン王フェルナンド二世（在位一四七九〜一五一六）がナポリ王を兼ねることになりました。

およそ三〇〇年前、時のローマ皇帝、フェデリーコ二世（在位一二二〇〜五〇）は、シチリア・南イタリアを拠点に、イタリアを統一しようと試みました。そして、一六世紀の初頭、その後継者が現れたようにみえました。それが、教皇軍総司令官、チェーザレ・ボルジア（ヴァレンティーノ公。一四七五〜一五〇七）です。

チェーザレは、教皇の下にイタリアの統一を企図したのです。傍らには、軍事・技術顧問としてレオナルド・ダ・ヴィンチの姿がありました。チェーザレの下に赴いた共和政フィレンツェの外交官、ニッコロ・マキャヴェッリ（一四六九〜一五二七）は、イタリアの将来に一筋の光明を見出だしました。

アレクサンデル6世

しかし、それは一瞬の光彩に終わりました。一五〇三年、チェーザレの父、アレクサンデル六世（在位一四九二〜）が没し、ボルジア家の政敵で、好戦的なユリウス二世（シクストゥス四世の甥。在位〜一五一三）がローマ教皇に登極して、チェーザレは囚（とら）われの身となったからです。

スペインのバレンシア出身のボルジア家については、毒殺や近親相姦など醜聞が広く流布しています。しかし、確実な

ボルジアの間（ヴァティカン宮殿内）

史実を辿って行くと、敬虔ではないにせよ、有能で逞しくバランス感覚に秀でた一族の姿が浮かび上がってきます。ボルジア家は、事毎に対立するローマの名家、オルシーニ家とコロンナ家を共に排斥しようと試みました。それがローマの安定に繋がると考えたからです。

　ボルジア家の醜聞は、多分に、ユリウス二世などの政敵によって誇張された面が強いように思われます。建築もまた人格を表すといいますが、ヴァティカン宮殿のボルジア・アパートメント（ボルジアの間）は、我々に何を物語るのでしょうか。なお、ボルジア家については、塩野七生「チェーザレ・ボルジアあるいは優雅なる冷酷」という名作があります。

　イタリアの統一は一瞬の夢と消えましたが、人文学者、ピエトロ・ベンボ（一四七〇〜一五四七）などの尽力により、一六世紀初頭から、標準イタリア語（トスカーナ語）が、広く使われるようになりました。文学の世界で、まず、イタリアの統一は果されたのです。

一五〇六年、ユリウス二世はアレクサンデル六世の遺志を受け継いで、サン・ピエトロ大聖堂の改築を開始し、ミケランジェロを従事させました。そして同時に一族ゆかりのシスティーナ礼拝堂天井画の制作をも依頼したのです。なお、サン・ピエトロ大聖堂のドームと頂頭の完成は一五九三年のことになります。

ラオコーン像（ピオ・クレメンティーノ美術館・ヴァティカン所蔵）

同じ一五〇六年には、古代ギリシャ彫刻の傑作、ラオコーン像が、ローマ皇帝ネロの黄金宮殿（ドムス・アウレア）近くの地中から発見され、ミケランジェロに衝撃を与えたと伝えられています。また、好戦的なユリウス二世は、この年、身辺警護のため初めてヴァティカンにスイス傭兵（一五〇人）を導入しました。

一五〇七年、ロレーヌのサン・ディエ修道院から出版された「世界誌入門」（ラテン語）は、新大陸を初めてアメリカと呼びました。これは、新大陸を探検し、新大陸がアジアの一部ではなく独立した大陸であると論証した（一五〇三年発表の論文「新世界」）フィレンツェ出身の地理学者、アメリゴ・ヴェスプッチ（一四五四〜一五一二）に因んだものです。

続いて、同年、ドイツのマルティン・ヴァルトゼーミューラー（一四七〇頃〜一五二〇）が、新たに出版した世界地図で、新大陸をアメリカと記載したことにより、新大陸はアメリカと呼ばれるようになったのです。

ユリウス２世

それまで、北アメリカは、インド諸国と呼ばれていました。だから、先住民はインディアンとなったのです。

ところで、ユリウス二世は、まず、ヴェネツィアの勢力を削ごうと考え、一五〇八年、ルイ一二世やマクシミリアン一世とカンブレー同盟を結成しました。同じ一五〇八年、マクシミリアン一世は、選帝侯によってドイツ王（ローマ王）に選ばれた者はローマに赴き教皇の戴冠を経なくても皇帝となる、と一方的に宣言しました。

そうなると、ローマに赴かないローマ皇帝とは何だろうという話になり、一五一二年、「ドイツ国民の神聖ローマ帝国」という国号が公文書で初めて用いられました。それ以前には、神聖ローマ帝国もなければ神聖ローマ皇帝もいなかったのです。

一五〇九年、イングランドでは、ばら戦争を終結させてテューダー朝を開いたヘンリー七世（在位一四八五〜）が没し、その子どものヘンリー八世（在位〜一五四七）が即位しました。ユリウス二世は、ヴェネツィアの勢力を削いだはいいもののフランス軍が我が物顔にイタリアで振舞うのを見て、一五一〇年に、一転して今度はヴェネツィアと同盟し、フランス軍と戦い始めます。さらに、翌一五一一年には、マクシミリアン一世やアラゴン王、フェルナンド二世、ヘンリー八世にまで声をかけ、対フランスの神聖同盟を結成しました。

一五一二年には、スペイン軍がフィレンツェに入城し、共和政は粉砕されてロレンツォの次男、ジョヴァンニに率いられたメディチ家が復権しました。隠棲したマキャヴェッリは、「君主論」を書いてチェーザレを愛惜することになります。

レオ10世

フランス軍はミラノからも追われて、イル・モーロの子どもであるマッシミリアーノ・スフォルツァ（在位一五一二〜一五）がミラノ公に復帰しました。ユリウス二世は、短期的にはそれぞれの目的を達成しましたが、大局的にみると、イタリアの混迷を深めただけに終わったようです。

翌一五一三年にユリウス二世が没すると、戦争に倦んだローマ教会は、メディチ家のジョヴァンニを次期教皇に選出しました。レオ一〇世（在位一五一三～二一）の誕生です。聖俗を超越した貴族的な精神の持ち主であったレオ一〇世は、ラファエロ・サンティ（一四八三～一五二〇）を寵愛し、祝祭を繰り広げてお金を湯水のように使ったので、ローマの盛期ルネサンスはそのピークを迎えました。まるで、レオ一〇世とともにルネサンスがフィレンツェから引っ越してきたような賑わいでした。パンテオン、ラオコーン、キケロ、ウェルギリウス、リウィウスなど古代ローマ帝国の最高の模範を模倣することが、当時の芸術家の最大目標でした。ルネサンスが文芸復興と呼ばれる所以です。スペインのグラナダ生まれのアラブの旅行家、ハッサン・アル＝ワッザーン（一四八三頃～一五五五頃）は、一五一八年頃シチリアの海賊に捕えられてローマに送られ、レオ一〇世に仕えるようになりました。レオ・アフリカヌスと呼ばれた彼の大著『アフリカ誌』全九巻は、黄金の国マリ（その都トンブクトゥ）の伝説を広めるもととなりました。

一六世紀の初頭に相次いで登極した三人の教皇は、それぞれ、ヴィーナス（庶子を多く残したアレクサンデル六世）、マルス（戦さを好んだユリウス二世）、ミネルヴァ（文芸を愛したレオ一〇世）と揶揄されましたが、いずれも高い能力と人間的な魅力という点では、歴代教皇の中で

「眠れるヴィーナス」ジョルジョーネ画

も、群を抜いて個性的な存在であったように思われます。この三人が続いたこと自体が一つの奇跡のようにも思われます。それが、ルネサンスをバックアップしたのでしょう。

ヴェネツィアでも、一六世紀の初頭から、ルネサンスが最盛期を迎えつつありました。夭折(ようせつ)した天才画家、ジョルジョーネ(一四七八〜一五一〇)は、ティツィアーノ・ヴェチェッリオ(一四八八頃〜一五七六)という後継者を残しました。ジョルジョーネの「眠れるヴィーナス」(ドレスデン)は、西洋絵画の一つの美の規範を長く示すことになるでしょう。

†フランソワ一世のミラノ攻略

一四六九年のカスティーリャ女王イサベル一世(在位一四七四〜一五〇四)とアラゴン王フェルナンド二世(在位一四七九〜一五一六)の結婚により、実質的に

ファアナ

統一されたスペインでは、この二人がカトリック両王（レコンキスタを祝して教皇アレクサンデル六世より贈られた称号）として君臨していましたが、両国が法的に統合されたのは一七一五年のことです。

一五〇四年にイサベル一世が没すると、カスティーリャの王位は娘の女王ファアナ（在位一五〇四～五五）の手に移りました。ハプスブルク家はスペインの王室と一四九六、七年に二重結婚を行っていました。マクシミリアン一世とブルゴーニュ女公マリーの子ども、フィリップ美公とマルグリットが、カトリック両王の子ども、ファアナとファンとそれぞれ結婚したのです（二〇～二一頁の「ハプスブルク家の結婚」の系図を参照）。ところがイサベル一世の長男のファンが一四九七年に早世したので、ファアナが王位を継承することになったのです。ファアナは、フランドルからスペインに戻ってきましたが、華やかなフランドルで育ったフィリップ（フェリペ一世）には、後進国スペインの風土は肌に合わなかったようです（フランドルは、スペインにおいて華やかさを意味する言葉となり、フラメンコの語源となりました）。

まもなくフィリップが早世すると、ファアナは精神に異常をきたすようになったといわれています。そこで、父のフェルナンド二世が摂政となりカスティージャの国政を支えましたが、一五一六年、フェルナンド二世が没すると（ファナがアラゴン王位も継承）、スペインは、ファナの長男で、フランドルで生まれ育ったシャルル（祖父、シャルル突進公の名を貰いました）の舵取りに委ねられることになりました。

実質的なスペイン王、カルロス一世（在位一五一六～五六）、後の神聖ローマ皇帝カール五世（在位一五一九～五六）の誕生です。なお、ファナの狂気については一時的なもので、フェルナンド二世やカール五世が権力を握るために、ファナを幽閉し続けたのではないかという有力説も出されています。

カール5世

一五一五年には、カール五世の宿命のライバルとなるフランス王、フランソワ一世（在位～一五四七）が登位しています。ルイ一二世には男子が生まれなかったので、オルレアン公ルイ一世の子どもアングレーム伯ジャンの孫にあたるフランソワ一世が後を継ぐことになったのです。なお、フランソワ一世の妃は、ルイ一二世とアンヌ・ド・ブルターニュの娘、ブルターニュ女公クロードです。

精力的なフランソワ一世は、早速、ミラノ公国を占領し（一五一五）、スフォルツァ家を再び放逐してイタリアに食指を伸ばしました。自分は初代ミラノ公の娘、ヴァレンティーナのひ孫にあたることを理由としたのです。スフォルツァ家に仕えていたレオナルド・ダ・ヴィンチは、以降、フランスのアンボワーズに移住してフランソワ一世に仕えることになります。

フランソワ1世

レオ一〇世は、戦乱を避け、一五一六年にボローニャ政教協定を結んで、フランスと和睦しました。これは、フランス王に、フランス国内の高級聖職者の候補者の指名権を認めたもので、ガリカニスム（国家教会主義）の勝利とみなされています（叙階権は教皇）。また、同じ一五一六年には、ヴェネツィアでユダヤ人が鋳造所（ゲット）のある区域に強制移住させられました。ここから、ゲットーという言葉が生まれたのです。

†宗教改革の引き金

ところで、サン・ピエトロ大聖堂の建設は、遅々として進まなかったので、レオ一〇世は、

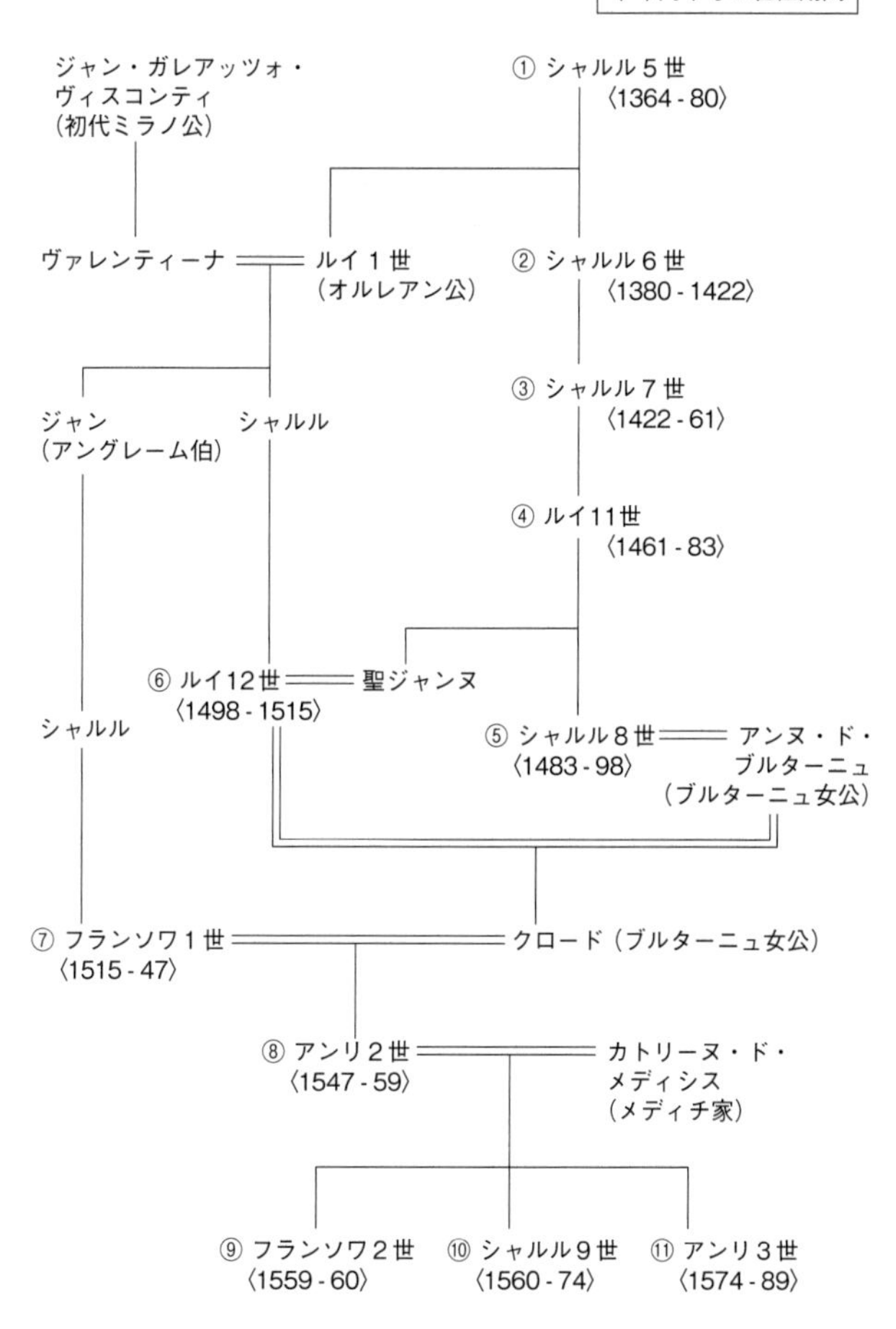

フランス王家（ヴァロワ朝）の系図

ルター

一五一五年、建設資金を集めるため、マインツ大司教アルブレヒトに販売独占権を与えて、ドイツで贖宥状の販売を行わせました。アルブレヒトはドミニコ会士、ヨハン・テッツェルを説教師に任命します。フッガー家も全面的に協力しました。中央集権化の進んだイングランドやフランスには、教皇権力の入り込む余地はほとんどありませんでした。「ローマの雌牛」と呼ばれたドイツでしか、事実上、贖宥状は販売出来なかったのです。

これに対して、ヴィッテンベルク大学の聖書学教授マルティン・ルター（一四八三〜一五四六）が、一五一七年、「贖宥状に対する九五か条の提題」を提示して、神以外に贖宥はできないと主張しました。ただし、この提題はラテン語で書かれていたので、聖職者以外には読めませんでした。

同じ一五一七年、ボヘミアの大銀山、ヨアヒモスタール（聖母マリアの父、ヨアキムの谷、の意味）で、純度の高い銀貨が鋳造されました。やがてフローリン金貨やドゥカート金貨に代わって国際通貨となる（ヨアヒモス）ターラー銀貨の誕生です。このターラーが訛って、新大陸のドルが誕生したのです。更に、このドルが、東アジアに持ち込まれ、圓となりました。今日の、人民元、ウォン、円の祖形です。

キリスト教では、洗礼後に犯した罪は告解によって許されるとしていますが、そのためには、「痛悔」、「告白」、「償い」が必要でした。十字軍の際に、ローマ教会は、償いを軽減する贖宥状を従軍者に示して、戦意を煽りました。これが、贖宥状の始まりとされています。

その後、聖年のローマ巡礼者にも贖宥状が販売されるなど、さまざまな名目で贖宥状は販売されてきました。贖宥状は、宗教改革に対抗して開かれたトリエント公会議で、金銭による売買が最終的に禁止されることになります。

ターラー銀貨

なお、この関連で、ローマ教会独自の教義としての「煉獄」の存在が挙げられます。因みに、煉獄は、聖ベルナールのシトー会が発展・確立させた概念です。天国と地獄の間にあるいわば待合所としての煉獄は、微罪を犯した人々（つまり、大多数の人々）が罪を清める場所であり、例えば、レクイエムは、本来は煉獄の死者のための音楽でした。煉獄における救済は、お布施など生者の代禱によるしか道はなく、要するに、死者についても神ではなくローマ教会が支配する結果となり、贖宥状の販売と結びついて喧伝されたのです。

プロテスタントは、聖書に記載のない煉獄を認めていません。また、ローマ教会でも、二〇世紀の第二ヴァティカン公会議以降は、ほとんど言及されることがなくなりました。

†アステカ帝国の征服とルターの追放

一五一九年、スペイン人エルナン・コルテス（一四八五～一五四七）が、アステカ（メシカ）帝国（一四二八頃～）の征服に乗り出しました。天然痘など病原菌の助けを得たコルテスは、一五二一年、湖に浮かぶ美しい首都テノチティトラン（メキシコシティ）を陥落させました。勇敢に戦ったアステカの第一一代皇帝、クアウテモック（在位一五二〇～）は捕虜となり、後に処刑されました。一五〇四年にイスパニョーラ島に植民したコルテスは、キューバ征服に参加して頭角を現しましたが、キューバ総督のディエゴ・ベラスケス（一四六五～一五二四）と不仲になり、新天地を求めていたのです。

コルテスは、エンコミエンダ制を大々的に展開し、自らも巨万の富を得ました。コルテスや後のピサロは、コンキスタドール（新大陸の征服者）と呼ばれるようになります。

なお、コロン（コロンブス）交換の結果として持ち込まれた天然痘など旧世界の病原菌の猛威は凄まじく、メキシコだけでも約二五〇〇万人と推定されたインディオは、ほぼ絶滅しました。一説によれば、新大陸の先住民の九〇～九五％が死に絶えたといわれています。近世では、

コロン交換　＊サツマイモはアメリカ原産だが、オセアニアや東南アジアに到達済

	アメリカ大陸から	ユーラシア・アフリカ大陸から
病原菌	梅毒 フランベジア（イチゴ腫）	ペスト 天然痘 結核 コレラ インフルエンザ マラリア 麻疹 猩紅熱 腸チフス 百日咳 黄熱
植物	アボカド トウモロコシ ジャガイモ ゴム タバコ トマト インゲンマメ トウガラシ、ピーマン、パプリカ ココア 綿（アメリカ種） キャッサバ パパイヤ ラッカセイ パイナップル カボチャ ヒマワリ イチゴ（アメリカ種） バニラ サツマイモ＊	コムギ オオムギ コメ コショウ バナナ キャベツ コーヒー 柑橘類 ニンニク 綿（エジプト種） レタス タマネギ モモ セイヨウナシ サトウキビ カブ ニンジン ダイズ
動物（家畜）	アルパカ シチメンチョウ アライグマ リャマ	ウシ ウマ ヒツジ ブタ ラクダ ロバ ヤギ ニワトリ ネコ ウサギ キジ、カモ

一四世紀のペスト禍に次ぐ大規模なパンデミックが生じたのです。

「エンコミエンダ制」とは、スペイン王が入植者に一定地域の先住民を委託する（エンコメンダール）下賜(かし)制度であり、信託を受けた入植者（エンコメンデーロ）は、先住民の労働の果実を受け取る権利とともに先住民をキリスト教に改宗させる義務を負いました。

クレメンス７世

この制度は、一五〇二年に、イスパニョーラ島総督のニコラス・デ・オバンド（一四六〇〜一五一八）がイサベル一世に提案して許可を得たことが始まりです。実質的には、先住民を奴隷化して酷使することを正当化するものでした。

同じ一五一九年、マクシミリアン一世が没すると、ドイツ王（ローマ皇帝）の選挙が行われました。ドイツとスペインに挟み撃ちにされることを恐れてフランソワ一世が名乗りをあげたので、カール五世は大金を投じて選挙に臨み、ローマ皇帝として選出されましたが、莫大な借財を抱えることになりました。皇帝選挙に敗れたフランソワ一世は、ザクセン選帝侯などのルター派勢力、教皇クレメンス七世（ロレンツォの弟、ジュリアーノの遺児。在位一五二三〜三四）

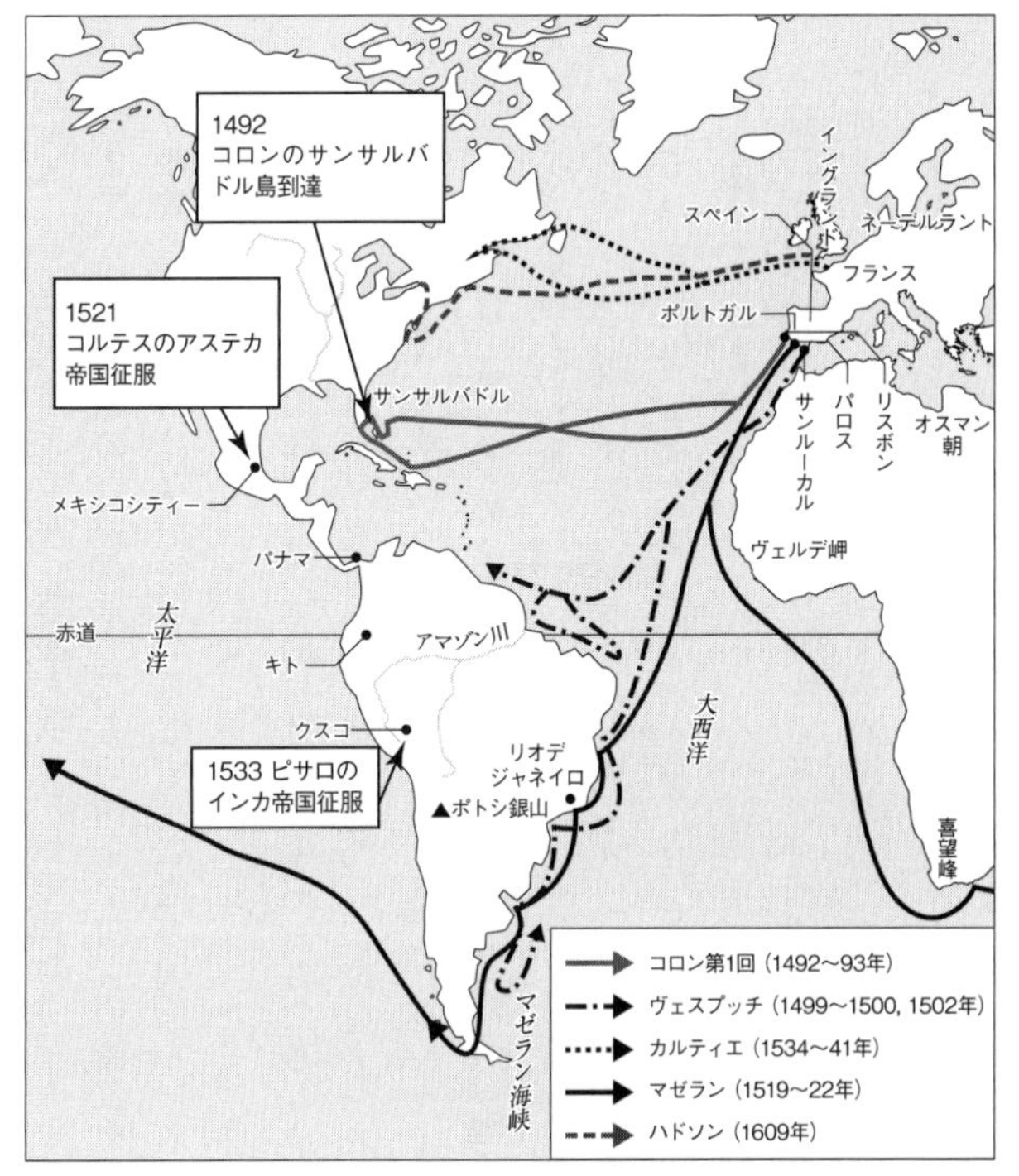

ヨーロッパ人による新天地到達

などの反カール五世勢力と結び、包囲網を脱しようと考えます。そして、最後にはオスマン朝のスレイマン一世とも秘かに手を結んだのです。

一五二〇年、フランソワ一世とヘンリー八世が、イングランド領のカレーの近くで会見しました。これを「金襴の陣」と呼んでいます。この会見の段取りをつけたのは、レオ一〇世の教皇使節でもあったイングランドのトマス・ウルジー枢機卿

（一四七五〜一五三〇）でした。権勢を誇った彼の館は今でもハンプトン・コート宮殿として残っています。金襴の陣のいわれは、二人の国王が自らの優位を相手に印象付けようと祝祭を繰り広げお金に糸目をつけなかったからです。二人の国王もレスリングを行い、敗れたヘンリー八世は機嫌を悪くしました。

しかし、この金襴の陣は、政治的には何の果実ももたらしませんでした。

同じ一五二〇年、カルマル同盟（デンマーク、ノルウェー、スウェーデン北欧三国の物的同君連合）から分離しようとするスウェーデンに乗り込んだデンマーク王クリスチャン二世（在位一五一三〜二三）は、奸計をめぐらして招いた一〇〇名以上の地元の有力者を軒並み殺戮しました（ストックホルムの血浴）。

ドイツでは、一四六六年、シュトラスブルク（ストラスブール）でドイツ語の聖書が既に出版されていました。ルターは、ウィクリフ（五二頁参照）が説いたように、聖書に帰れ（福音主義）と呼びかけました。

一五二一年、カール五世は、ヴォルムスの帝国議会で自らの教義の撤回を再度拒否したルターに対して、勅令を発布し、ルターを異端と断じて追放しました。追放は法の外にルターを置くことを示し、仮に誰かがルターを殺しても罪には問われないという厳しい処分でした。

しかし、カール五世の権力の伸張を快く思わないザクセン選帝侯、フリードリヒ三世（在位一四八六～一五二五）がルターをヴァルトブルク城に匿い、ルターは、新約聖書のドイツ語訳に専念しました。ルター訳の聖書は翌年出版され、ドイツの市民は自国語で聖書を読めるようになりました。

当然のことながら、聖書を読めば、ルターの主張の方に分があることは誰にでもわかります。こうして、ドイツは、ローマ教会のくびきから離れることになりました。

イタリアでは、一五二一年に、教皇レオ一〇世が死去しました。真の意味で貴族的な精神の持ち主であったレオ一〇世の死とともに、イタリアの盛期ルネサンスはその最も華やかなページを閉じました。もっとも、レオナルドやミケランジェロ、ラファエロの後に、一体誰が何を創造出来るというのでしょう。

視覚芸術は、均衡を崩したマニエリスムやバロックの世界に入って行きます。しかし、ルネサンスは終焉した訳ではありません。人間の復権を求めたルネサンスの精神は、印刷術の発展にも助けられて、広くヨーロッパ全域に拡散していきました。

†ハプスブルク家とフランス王家の確執

同じ一五二一年、フランソワ一世とカール五世の間で、第三次イタリア戦争（～二六）が勃発しました。武勇に優れたフランス元帥のブルボン公シャルル三世（一四九〇～一五二七）は、相続問題でフランソワ一世と対立してカール五世のもとに走り、一五二五年のパヴィアの戦いでは皇帝軍の指揮を執って、フランソワ一世を捕虜にするという殊勲をあげました。

主を失ったフランスでは、王母のルイーズ・ド・サヴォワが国政を率いました。ルイーズはオスマン朝のスレイマン一世に使いを送り、オスマン朝にウィーンへの進軍を促しました。こうした背景もあって前述したモハーチの戦いや、ウィーン包囲が行われたのです。ルイーズには相続を巡ってブルボン公と争い、敵方に寝返らせてしまったという負い目もありました。

一五二二年、ブリュッセルの分割協定により、ハプスブルク家の所領は、カール五世が統治するスペイン、フランドル、南イタリアと、カール五世の実弟、フェルディナント一世が統治するオーストリアに分離されました。フェルディナント一世は、モハーチの戦いで義弟ラヨシュ二世が戦死すると、前述したようにボヘミア王位とハンガリー王位をも継承しました。同じ一五二二年、ファン・セバスティアン・エルカーノ（一四七六～一五二六）が、史上初となる世界周航を達成しました。一五一九年、フェルディナンド・マゼラン（一四八〇～一五二一）は五隻のスペイン艦隊を率いてセビージャを出航しました。マゼランは、南アメリカ大陸南端のマゼラン海峡を発見して太平洋に入り、マゼラン自身は一五二一年にフィリピンで戦死したものの、エルカーノが残った一隻を指揮してスペインのサンルーカル港に帰り着いたのです。出航時に二六五名いた乗組員は一八名にまで減っていました。なお、太平洋はマゼランの命名によるものです。

一五二三年、スウェーデンでは、ストックホルムの血浴から逃れたグスタフ・ヴァーサ（一世、在位～一五六〇）が即位して、ヴァーサ朝が始まりました。カルマル同盟からスウェーデンの離脱は決定的となったのです。一三〇年近く続いたカルマル同盟は終焉を迎え、残されたデンマークとノルウェーは同君連合の関係を一八六四年まで続けることになります。

同じ一五二三年、フルドリッヒ・ツヴィングリ（一四八四～一五三一）が主導してチューリヒで公開宗教討論会が行われ（67か条の論題）、チューリヒは宗教改革を受け入れることになりました。

一五二四年、宗教改革に触発されて、トマス・ミュンツァー（一四八九～一五二五）に率いられたドイツ南西部、中部の農民が蜂起、ドイツ農民戦争が始まりました。カール五世は、フランソワ一世との戦争に忙殺され、宗教改革どころではなくなっていました。また、皇弟フェルディナント一世は、東方からひたひたと押し寄せてくるオスマン朝の圧力を受け止めるのに精一杯でした。

こうして、ルターが火をつけたドイツには、権力の空白が生じていたのです。そこに過激な農民戦争が広がる素地がありました。

同じ一五二四年、イタリアの探検家、ジョヴァンニ・ダ・ヴェラッツァーノ（一四八五頃～

一五二八頃）が、フランソワ一世の依頼で、ヨーロッパ人として初めてニューヨーク（となる地）に到達しています。

ところで、ルターは、当初、農民戦争を支持していましたが、再洗礼派の影響が強くなると、一転して反乱を鎮圧する側に回りました。反乱は、一五二五年に収束しましたが、ルターの支持基盤は、これ以降、北部の諸侯や裕福な都市住民が主体となりました。

「再洗礼派」 英語ではアナバプテストと呼ばれていますが、このグループは、ツヴィングリの弟子たちから分派した人々で、幼児洗礼を否定し、成人の信仰告白に基づく成人洗礼のみを認めるのが教理上の大きな特徴です。幼児洗礼者に成人洗礼を授けるので再洗礼派と呼ばれていますが、彼らにとっては幼児洗礼は無効なので、再洗礼を授けているという認識は全くありません。多くのセクトに分かれており、ドイツ農民戦争では、現世の権威を一切認めない急進過激派が伸張しました。

ドイツ農民戦争後、ネーデルラントのメノ・シモンズ（一四九六〜一五六一）が、改めて聖書には幼児洗礼の根拠がないことを確信、彼の衣鉢（いはつ）を継ぐ人々はメノナイトと呼ばれるようになりました。このグループのスイスのヤコブ・アマン（一六四四〜一七三〇頃）は、文明社会から離れて暮らすことを推奨しました。彼につながる人々はアーミッシュと呼ばれています。メノナイトもアーミッシュも今でもアメリカの農村で生活しています。

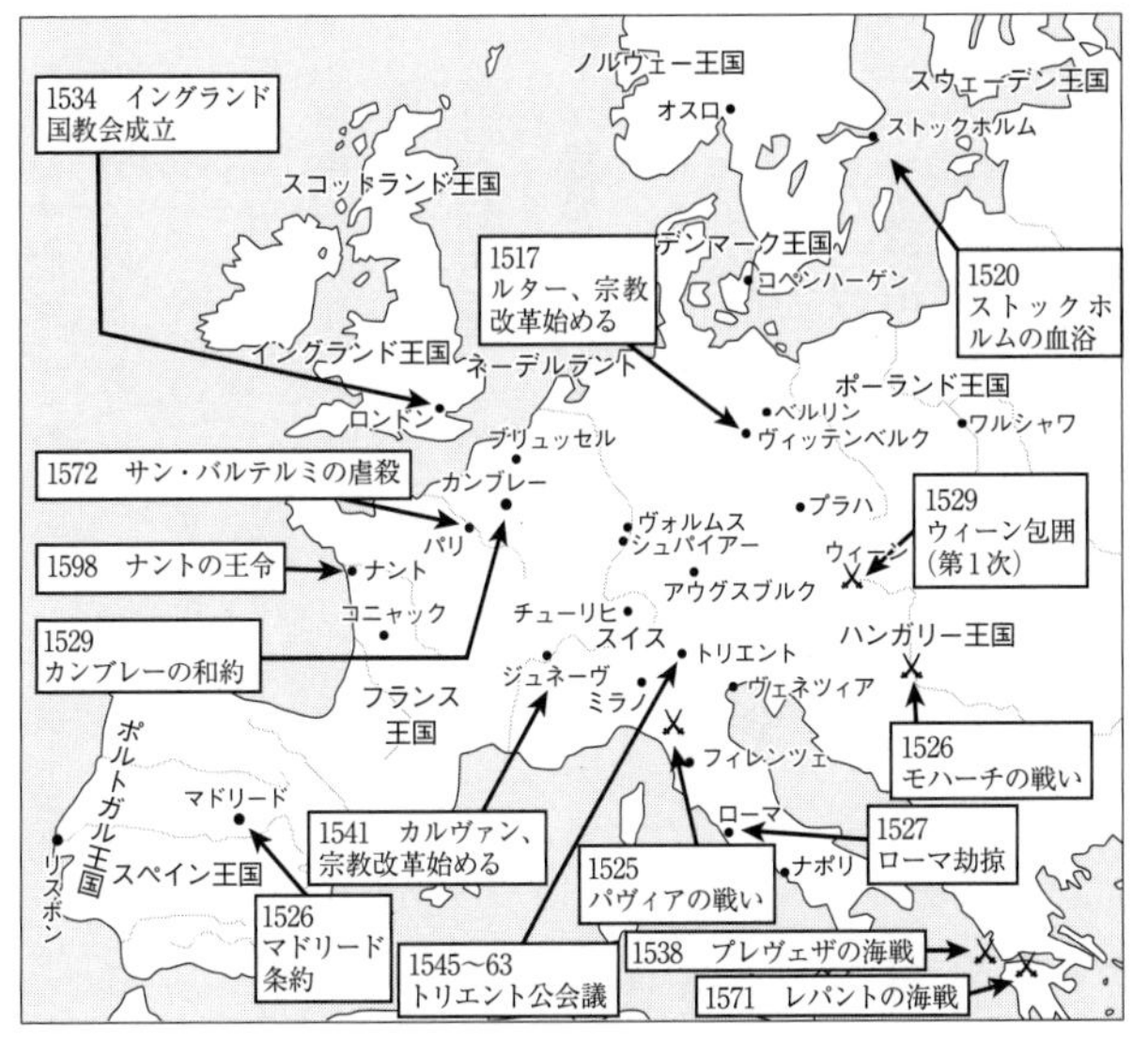

宗教改革と各地での争いや和議

ところで、カール五世の捕虜になってマドリードに護送されたフランソワ一世は、一五二六年にカール五世と屈辱的なマドリード条約を結び、釈放されました。マドリード条約の内容は、フランスが、ブルゴーニュ、ナポリ、ミラノなどを放棄するというものです。フランソワ一世が曾祖母の血脈からミラノを欲したように、カール五世は曾祖父の血脈からブルゴーニュに固執していたのです。

しかし、フランスに戻ったフランソワ一世は、マドリード条約を破棄し、直ちに戦争を再開しました。この戦争は、コニャック同盟戦争（一五二六～三〇）と呼ばれています。

フランス側には、教皇クレメンス七世やヴェネツィア、ミラノ、フィレンツェがつきました。この同盟に尽力したのが、メディチ派の重臣で歴史家のフランチェスコ・グイチャルディーニ（一四八三〜一五四〇）です。なお、コニャックとはこの同盟が結ばれた都市の名前です。

同じ一五二六年、イングランドで、ウィリアム・ティンダル（一四九四〜一五三六）による英訳聖書が刊行されました。イングランドでは一〇〇年以上も前にジョン・ウィクリフ（一三二〇頃〜八四）によって初めての英訳聖書が刊行されていましたが、ティンダルの聖書はさらに優れた翻訳で、この後長く読み継がれていくことになるでしょう。

†ローマ劫掠とインカ帝国の滅亡

コニャック同盟戦争は、皇帝軍に有利な戦況で推移しました。一五二七年、ローマに向かって南下した皇帝軍を、教皇軍の司令官、グイチャルディーニは阻止することができませんでした。

ローマ攻撃中、皇帝軍の司令官ブルボン公が戦死したこともあり統制を失った皇帝軍は、ローマ劫掠（ごうりゃく）を行いました。クレメンス七世は、慌ててサンタンジェロ城に逃げ込みました。皇帝軍の主力を成していた貧しいドイツ傭兵（ようへい）（ランツクネヒト）は、ルターの説いた新しいバビロンの略奪には、何等良心の呵責（かしゃく）を感じなかったことでしょう。マクシミリアン一世が、スイス

「ローマ劫掠」

傭兵の強兵振りに着想を得て、南ドイツで募集を始めたランツクネヒトは、既に、ハプスブルク軍の中核を占めるようになっていたのです。

これに対して、スイス傭兵は、伝統的にフランス王家との関係が深かったといわれています。派手な衣装に身を包んだランツクネヒトは自治組織を持った特異な軍隊でした。スイス傭兵が、いわば、国策として血の輸出を行っていたことに比べると、ランツクネヒトは志願兵からなる自由な軍隊だったのです。一五二六年には、南米ヴェネズエラにも出向いているほどです。

ローマ劫掠により、ローマは大きな痛手を受けました。クレメンス七世はカール五世と和解して、一五三〇年、ボローニャでカール五世の皇帝戴冠式を行いました。これが、ローマ教皇によるローマ皇帝の最後の戴冠式となりました。

そして、その見返りに、フィレンツェを支配していた庶子のアレッサンドロ（アレッサンドロ・デ・メディチ）を一五三二年にフィレンツェ公とすることに成功しました（在位～一五三七）。コニャック同盟戦争は、一五二九年「貴婦人の和約」（カンブレーの和約）で終結しました。

これは、フランソワ一世の生母、ルイーズ・ド・サヴォワとネーデルラント女総督マルグリット大公女（フィリップ美公の妹でカール五世の叔母）が取り決めたものです。犬猿の仲のフランソワ一世とカール五世が交渉を嫌がったので、その代理として母と叔母が出向いたというわけです。二人は義姉妹でもありました。最初の夫、スペイン王家のファンを亡くした後、マルグリットは、ルイーズの弟、サヴォイア公フィリベルト二世と結婚していたからです。

和約の内容は、マドリード条約に準拠したものでしたが、ブルゴーニュはフランスに帰属し、フランソワ一世の身代わりとしてマドリードに留め置かれた二人の王子（フランソワとアンリ）は身代金と引き換えに解放されるというものでした。カール五世は、イタリアをしっかりと確保することになりました。

同じ一五二七年、ヴェステロースで開催されたスウェーデンの国会は教皇庁との絶縁を決議、グスタフ一世は、ルター派に与することを宣言しました。グスタフ一世は国土の四分の一を占めていたローマ教会の土地を没収して王室の財政基盤を強化し、また聖書をスウェーデン語に訳させました。一五二九年、シュパイアーの帝国議会でルター派（五人の諸侯と一四都市）は、ヴォルムス決議の再導入に抗議書を提出しました。ここから、プロテスタントという言葉が生まれたのです（以下、宗教改革派をプロテスタント、あるいは新教と呼びます。その場合、ローマ教会は旧教となります）。

インカ帝国征服

一五三一年、カール五世のプロテスタント弾圧に抗して、プロテスタント側の七諸侯と一一都市の間でシュマルカルデン同盟が結ばれました。プロテスタント側はまだこの時点では、圧倒的な少数派でしたが、スペインに軸足を置くカール五世に対するドイツ諸侯の反発心が、プロテスタント側を生き延びさせる主因となりました。

同じ一五三一年、一五〇二年から新大陸の探索を続けていたスペイン人、フランシスコ・ピサロ（一四七〇頃～一五四一）がインカ帝国征服に出発、一五三三年には、一三代皇帝アタワルパを捕らえて処刑し、首都クスコを陥落させました。ピサロは、一五二八年にスペインに戻り、カール五世からヌエバ・カスティージャの総督に任命されていました。

アステカの人々と同様に、インカの人々も、執拗にゲリラ戦で抵抗を続けましたが、銃と病原菌の連合軍にはとうてい太刀打ち出来ませんでした。なお、インカ帝国は、文字の代わりにキープと呼ばれる結縄（紐の結び目の形で情報を表す）で、行政（統計）を行っていたことで知られています。

こうしてスペインは、メキシコからアンデスに至る広大な海外領土を手にすることになりました。コロンの航海から始まった偶然の連続が、スペインに大帝国をもたらしたのです。

ピサロは、リマを建設し（一五三五）、植民地支配に乗り出しました。しかし、クスコの領有権を巡って同僚のディエゴ・デ・アルマグロ（一四七九〜一五三八）と対立して彼を処刑しましたが、スペイン本国での支持を失い、一五四一年、リマでアルマグロの一派に暗殺されました。

病原菌により新大陸の人口は急減したので、その穴埋めに、アフリカ人奴隷の輸入が始まります。働き手を大量に奪われたアフリカの発展は、大幅に遅れることになりました。

†トスカーナ公国はコジモ一世の手に

一五三三年、ロレンツォのひ孫、カトリーヌ・ド・メディシス（祖国の父コジモの最後の血筋）は、フランソワ一世の次男、アンリのもとに嫁いでいきました。もちろん、クレメンス七世の後押しによるものです。

この婚姻によって、洗練された先進国イタリアの宮廷作法（食事は、大皿ではなく銘々の皿で、椅子も長椅子ではなく一人用の椅子で、そして、手で食べるのではなくナイフとフォークを使うことなど）やアイスクリームがフランスに伝えられました。フランス料理は、ここから始まったといわれています。

同年、モスクワ大公国では、父の死去により、長じて雷帝といわれるようになるイヴァン四世（在位～一五八四）が、三歳で即位しました。

一五三四年、ブルターニュ人、ジャック・カルティエ（一四九一～一五五七）がフランソワ一世の命を受け、アメリカ探検に出かけました。フランソワ一世は、アメリカ大陸の北側を抜けてアジアへ向かう北西航路の探索に力を入れていました。一〇年前にイタリアの探検家ヴェラッツァーノを北米に派遣したのも、同じ狙いからでした。カルティエは、三次にわたる探検を通してヌーヴェル・フランス（現在のカナダのケベック地方）領有の基礎を築くことになります。

なお、カナダとは、先住民のイロコイ族の言葉で「村落」を意味します。カルティエが、ここはどこだと尋ねたところ、カナダと返事が返ってきたことが由来とされています。

セントローレンス川を遡ったカルティエは、浅瀬に突き当たりました。彼はその浅瀬をラシーヌ（中国を意味するフランス語）への道を阻むものだと考え、ラシーヌ瀬と名づけました。今日では、カルティエもコロン（コロンブス）同様に、「東方見聞録」に描かれた大都を目指していたのではないかと考えられています。ラシーヌ瀬の手前の山は王の山（モン・ロワイヤル）と名づけられました。今日のモントリオールです。

一五三五年、イル・モーロの次男であるミラノ公のフランチェスコ二世が没し、スフォルツァ家が断絶しました。公位は、公妃クリスティーヌの母の兄にあたるカール五世が継承しましたが、これに不満を持つフランソワ一世が第四次イタリア戦争を起こします（一五三六～三八）。同じ一五三五年、ヌエバ・エスパーニャ（メキシコを中心にアジア太平洋の領土を含む）の初代副王アントニオ・ド・メンドーサ（在位～一五五二）が着任しました。カール五世は、アメリカ植民地の本格経営に乗り出したのです。翌一五三六年にはブエノスアイレス市が建設されています。

第四次イタリア戦争を始めたフランソワ一世は、一五三六年、オスマン・フランス同盟を正式に結んで、ピエモンテに侵入、トリノを落城させましたが、ミラノの攻略には失敗しました。オスマン朝は、このとき、フランスにカピチュレーション（通商特権、免税特権、治外法権などの特権）を与えたといわれています。これは、強国オスマン朝のいわば恩恵であり、正式な条約としては一五六九年に締結されました。

オスマン朝は、こうした恩恵を与えることによって、一層の交易の伸張を企図したのです。カピチュレーションは、一五七九年、イングランドに、一六一三年、ネーデルラントにも与えられました。後にオスマン朝が衰退してくると、カピチュレーションは不平等条約の下地となりました。明治維新時の不平等条約問題の淵源はここにあったのです。

一五三八年、ニースの和約で第四次イタリア戦争は終わりを告げましたが（フランスがトリノを確保）、フランソワ一世とカール五世は顔を合わせようとはせず、ファルネーゼ家を興した教皇パウルス三世（在位一五三四～四九）が両者の部屋を行き来して仲介し締結にこぎつけたといわれています。

一五三七年、フィレンツェ公国では、公爵のアレッサンドロが暗殺されました。メディチ派の大番頭グイチャルディーニは重臣会議を開き、傍系（弟脈）のコジモ一世（在位一五三七～七四。ただし六九年よりトスカーナ大公）を即位させました。グイチャルディーニは、マキャヴェッリの友人でもあり、「フィレンツェ史」や「イタリア史」などを残して近代歴史学の父と呼ばれました。

コジモ一世は、祖母がロレンツォの娘で、父は勇猛でならした傭兵隊長ジョヴァンニ・デッレ・バンデ・ネーレ（一四九八～一五二六）です。レオ一〇世に重用され教皇軍の指揮を執り

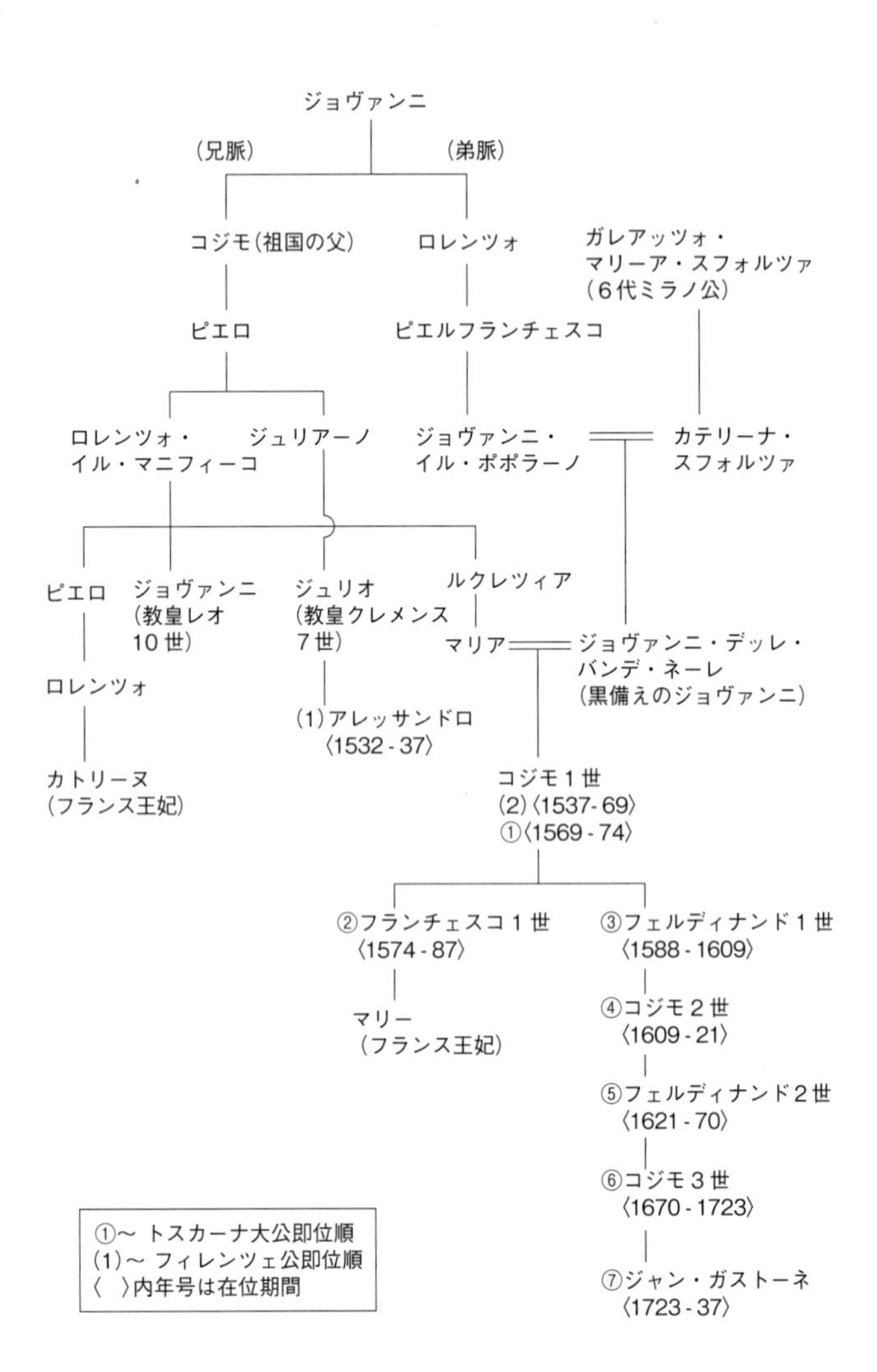

ジョヴァンニ
（兄脈）
（弟脈）
コジモ（祖国の父）
ロレンツォ
ガレアッツォ・
マリーア・スフォルツァ
（6代ミラノ公）
ピエロ
ピエルフランチェスコ
ロレンツォ・
イル・マニフィーコ
ジュリアーノ
ジョヴァンニ・
イル・ポポラーノ
カテリーナ・
スフォルツァ
ピエロ
ジョヴァンニ
（教皇レオ
10世）
ジュリオ
（教皇クレメンス
7世）
ルクレツィア
マリア
ジョヴァンニ・デッレ・
バンデ・ネーレ
（黒備えのジョヴァンニ）
ロレンツォ
（1）アレッサンドロ
〈1532-37〉
カトリーヌ
（フランス王妃）
コジモ1世
（2）〈1537-69〉
①〈1569-74〉
②フランチェスコ1世
〈1574-87〉
③フェルディナンド1世
〈1588-1609〉
マリー
（フランス王妃）
④コジモ2世
〈1609-21〉
⑤フェルディナンド2世
〈1621-70〉
⑥コジモ3世
〈1670-1723〉
⑦ジャン・ガストーネ
〈1723-37〉
①～ トスカーナ大公即位順
（1）～ フィレンツェ公即位順
〈 〉内年号は在位期間

メディチ家系図

ましたが、レオ一〇世が亡くなったとき哀悼の意を表して黒い帯（バンデ・ネーレ）を記章に加えたため、黒備えのジョヴァンニと呼ばれました。ジョヴァンニの母は有名な女傑、イーモラの女領主のカテリーナ・スフォルツァですから、コジモ一世にはメディチ家とスフォルツァ家の血がともに流れているのです。

プレヴェザの海戦

一五三八年、プレヴェザの海戦で、オスマン朝は、ジェノヴァ人のカール五世の提督、アンドレア・ドーリア（一四六六〜一五六〇）が率いるスペイン・ヴェネツィアなどの連合艦隊を撃破し、地中海の制海権を握りました。

数で劣るオスマン艦隊は、スレイマン一世がスカウトしたバルバリア海賊（アルジェ、チュニス、トリポリなどを基地とした北アフリカの海賊）、バルバロス・ハイレッディン大提督（一四七五〜一五四六）の果敢な戦法が功を奏しました。当時のオスマン朝は、ユダヤ人であれ、海賊であれ、有能な人間は人種や身分を問わず登用していたのです。これが、オスマン朝の強さの秘訣でした。

一五四二年、第五次イタリア戦争（〜四六）が勃発しました。前年、フランスの駐オスマン大使が移動中、イタリアで皇帝軍に殺されたことがきっかけでした。カール五世はオスマン・フランス同盟に対抗するため、ヘンリー八世を巻き込みました。しかし、決着はつかず、いたずらに交戦国を疲弊させただけに終わりました。

ラス・カサス

†スペインの新大陸政策

一五四二年、スペイン領アメリカでは、新法が公布され、先住民の奴隷化を禁じ、エンコミエンダ制は漸次廃止されることになりました（廃止は一五四九年）。これは、ローマ教会の司祭、バルトロメ・デ・ラス・カサス（一四八四〜一五六六）の「インディアスの破壊についての簡潔な報告」（刊行は一五五二年）を受けたものです。自らのエンコメンデーロとしての体験に裏打ちされたラス・カサスの命懸けの告発が、ようやくカール五世を動かしたのです。

しかし、植民地当局やエンコメンデーロは、ラス・カサスを深く憎むことになりました。彼らは、植民地での残虐行為を白日の下に曝したラス・カサスたちを売国奴、自虐史観と罵り、告発はスペインを貶める黒い伝説にすぎないと主張したのです。エンコメンデーロにとって、アメリカでの植民戦争は先住民の文明化に寄与するものであって、多少の行き過ぎはあったにせよ、全体としては称揚されるべきものであったのです。

一五四三年、ローマ教会の司祭でもあったポーランド人の天文学者、ニコラウス・コペルニクス（一四七三〜）没。同年、「天体の回転について」が刊行され、太陽中心説（地動説）が発表されました。この中で、コペルニクスは、一年を三六五・二四二五日と計算しています（正確には、三六五・二四二二日です）。この年は、鉄砲が日本に伝来した年です。

一五四四年、ペルー初代副王、ブラスコ・ヌニェス・ベラ（在位〜一五四六）が着任しました。スペインは、新大陸を、メキシコとペルーに二分して、それぞれ副王に統治させようとしたのです。

ポトシ銀山

一五四五年、アンデスでポトシ銀山が発見されました。石見銀山と共に、一六世紀世界最大の銀山となる大鉱山です。四一〇〇mの高地にあるポトシでは、先住民を酷使した過酷な採掘が行われ、彼らはコカの葉を噛みながら使役に耐えたといわれています。一説では、八〇〇万人が犠牲になったと伝えられています。一五四八年にはメキシコでサカテカス銀山が開かれました。

ポトシやサカテカスなどで産出されたアメリカ大陸の銀の奔流により、ドイツなどのヨーロッパの銀山は競争力を失って一掃されました。新大陸の銀により、豊富な決済手段を得たヨーロッパは、アジアとの交易を継続、拡大することが可能となりました。新大陸の銀は銀貨に鋳造され、後述するウルダネータの航路を通ってメキシコのアカプルコからマニラに向けて船で運ばれたので、メキシコ銀と呼ばれるようになりました。

(2) アジアの動向と宗教改革の進展

†陽明学の誕生と石見銀山

クビライの血筋を引くモンゴル中興の祖、ダヤン・カアン（在位一四七九～一五一六）は、一五〇一年、オルドスに侵入しましたが、明朝中興の祖、弘治帝（在位一四八七～一五〇五）は、よくこれを凌(しの)ぎました。一五〇二年には、総合的な法典集「大明会典(だいみんかいてん)」が編纂(へんさん)されます。一五

○五年、第一一代、正徳帝（在位～一五二一）が即位しました。

正徳帝は、名君の父に似ず、宦官の劉瑾（一四五一～一五一〇）と七人の仲間（八虎）を寵愛し、チベット仏教に傾倒、反乱が頻発する中で、不必要な微行や南巡を行うなど国勢を傾けました。明滅亡の要因は、この時代から始まったといわれています。一五一〇年、ダヤン・カアンはモンゴル高原を再統一し、一一人の子どもを分封しました。現在、チンギス・カアンの子孫を称する人々は、全てダヤン・カアンの血を引いているといわれています。

有能な政治家、王守仁（王陽明。一四七二～一五二八）は、一五一六年、江西省に着任して五年をかけて反乱を鎮定、その最中に起きた寧王の乱（一五一九）も鎮圧しました。王守仁は郷約（郷村社会の規約、その組織）を復興させて農山村の秩序回復に努める中で、実践的な禅宗の影響を受け、朱子学の性即理（人間の本性が宇宙の理である）説に対して、心即理説を唱えました。陽明学が誕生したのです。即ち、総ての人間の心には本来的に理が備わっており、心と理（体）は一体であるとする人間肯定の教理であって、朱熹の同世代の論敵、陸象山（陸九淵。一一三九～一一九三）の流れを引き、

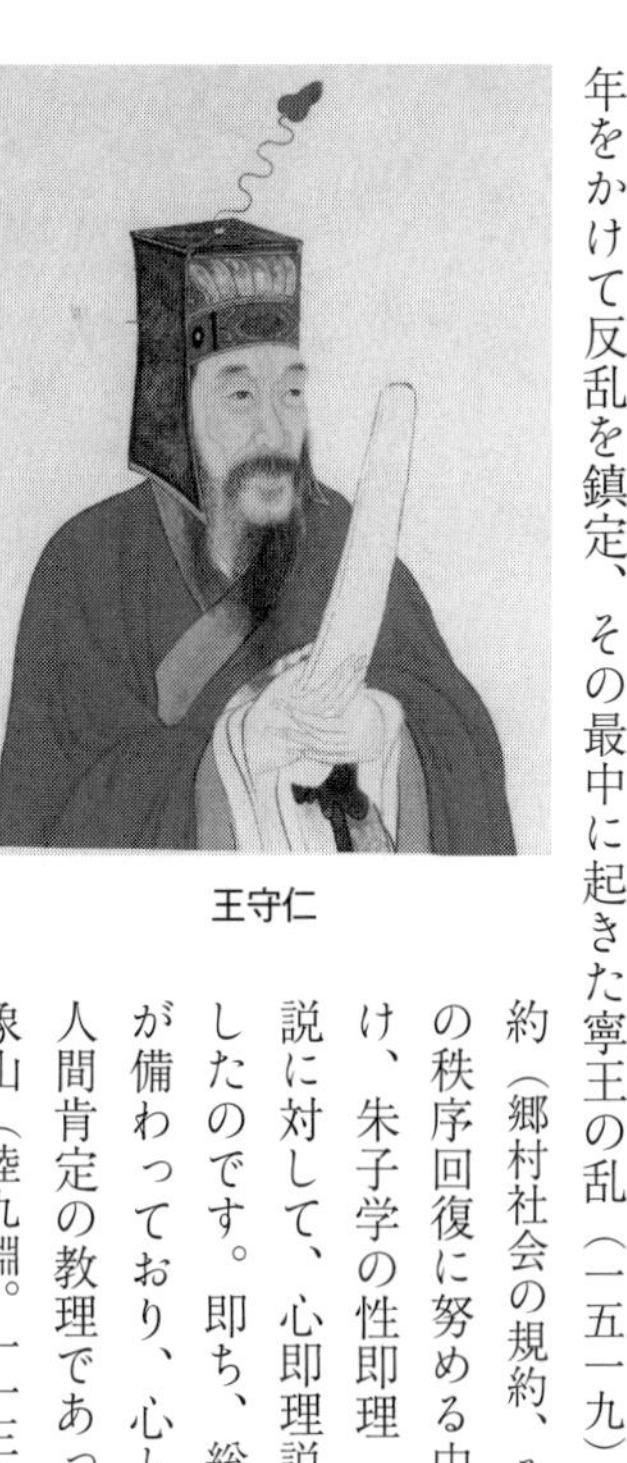
王守仁

石見銀山、清水谷精錬所跡

儒学を士大夫の学から広く万民の学に押し広げようとするものでした。なお、人口に膾炙した「知行合一」は、朱熹の「知先行後」（十分に学んでから行動に移す）を批判したものです。

わが国では、江戸時代に朱子学が体制側に好まれたため、陽明学は反体制派（大塩平八郎、佐久間象山、吉田松陰など）に多く信奉されましたが、陽明学自体に反体制的な理念がある訳ではありません。しかし、心即理という考え方を突き詰めると、心以外のものには束縛されないということになり、客観を主観の中に吸収してしまう主観唯心論に行き着きます。この点が、既存の秩序に反発する人々の琴線に触れたのではないでしょうか。

ところで、足利義満が始めた勘合貿易は、応仁の乱後、堺を管轄する細川氏や、西国の雄、大内氏の手に渡っていましたが、一五二三年、両氏は渡航先の寧波で争い、その後は大内氏が勘合貿易を実質的に独占するようになりました。また、室町幕府の統制が緩んだ結果、私貿易に従事する倭寇の活動が再び活発になりましたが（後期倭寇）、後期倭寇の主体はむしろ海禁によって仕事を奪われた中国や朝鮮の海の民でした。後期倭寇の実体は、単なる海賊ではなく、こうした東アジアの海民（武装海商）の共和国として理解すべきだと思われます。

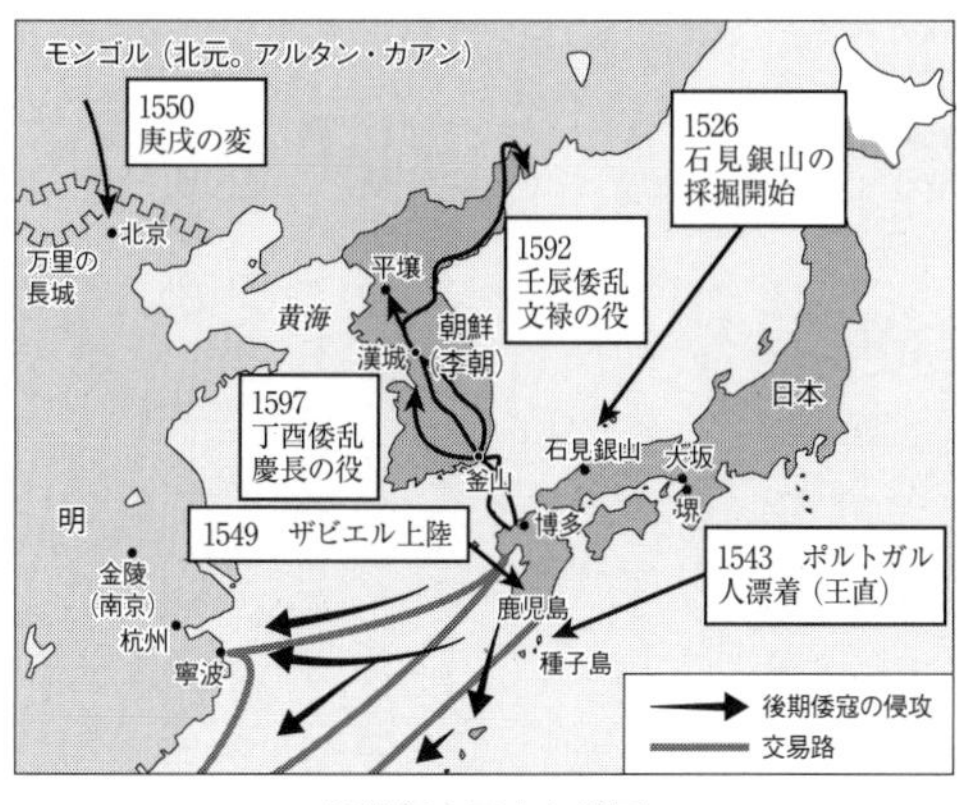

16世紀の日本と隣国

一五二六年、博多商人の神谷寿禎（生没年不詳）が、大内氏の支援の下に石見（大森）銀山を掘り始めました。一五三三年には、博多より二人の朝鮮人技術者が派遣され、灰吹法と呼ばれる大陸の技術を導入して産出量を増大させました。この技術は広く伝播し、やがて日本は、一六世紀後半から一七世紀初頭にかけて、世界の銀供給量の約三割を占めるまでに至ることになります。

日本は、初めて銀という本格的な世界商品を持つに至ったのです。やがて銀を求めて世界中から商人がやってくることになるでしょう。日本は、初めてグローバリゼーションの洗礼を受けようとしていたのです。

なお、石見銀山は、国内の覇権争いの中で、大内氏↓

尼子氏→毛利氏→豊臣氏→徳川氏と引き継がれて行くことになります。

「灰吹法」　BC二五〇〇年頃西アジアで生まれ、東漢の頃までに中国に伝えられた技術で、銀鉱石と鉛を溶かして作った合金を、炉内に敷いた灰の上に載せて加熱すると、鉛は酸化して表面張力が弱まり卑金属（貴金属でない金属で、熱せられると容易に酸化する）を取り込んで灰に吸収されますが、酸化されにくい銀は玉となりそれを冷却すると銀塊が得られます。灰吹法の原型は、七世紀頃には日本に伝えられていたようです。

一五四三年、徐海（生年不詳～一五五六）と並ぶ後期倭寇の有名な頭目、王直（生年不詳～一五六〇）の船が種子島に漂着、乗船していたポルトガル人が初めて日本に鉄砲（火縄銃）を伝えました。石見銀山に目をつけていた王直が鉄砲を日本に印象的に売り込むため、ポルトガル人をキャンペーンガールのように使ったのではないかという有力説も出されています。島主の種子島時堯（ときたか）（一五二八～七九）は、二挺の鉄砲を購入して国産化を始めました。

噂を聞きつけた根来寺僧兵の長、津田算長（かずなが）（監物。一四九九頃～一五六八）が来島、また堺からも職人がやってきて鉄砲生産の技術を学び取りました。そして畿内で量産が始まり、早くも一五五〇年頃から鉄砲は実戦に使用されることになりました。

一五四九年には、イエズス会の聖フランシスコ・デ・ザビエル（一五〇六頃〜五二）が、鹿児島に上陸してキリスト教を伝えました。イエズス会はザビエルや聖イグナチオ・デ・ロヨラ（初代総長。一四九一〜一五五六）らパリ大学の学生七名（モンマルトルの誓い）によって一五三四年に設立された男子修道会で、一五四〇年に教皇パウルス三世によって正式に認可されました。教皇の精鋭部隊とも呼ばれたイエズス会は、宗教改革で失ったヨーロッパの信者を新大陸やアジアで取り戻そうと世界各地へ宣教に赴きました。宗教改革の影響が日本にも及んできたのです。

ザビエル

朝貢貿易から互市システムへ

正徳帝を継いだ従弟（弘治帝の弟の次男）の第一二代、嘉靖帝（在位一五二一〜六六）もまた、道教に入れあげるだけの凡庸な君主で、明の屋台骨は、更に傾くことになりました。

北方では、一五四七年、ダヤンの孫、アルタン・カアン（在位一五五一〜八二）がモンゴル高原を実質的に統一しました。アルタンは、朝貢と互市（公認の対外交易場）を要

後期倭寇（明朝末期）

求して一五五〇年には北京を三昼夜にわたって包囲攻撃（庚戌の変）する等、毎年のように明への侵略を繰り返し、略奪した漢人を農耕に従事させ、幾つものバイシン（百姓の音訳で、漢人の住む都市のこと）を築かせました。明は万里の長城をさらに補強する必要に迫られ、多大の出費を余儀なくされました。

アルタンが本拠としたバイシンがフフホトです（一五六五建設）。一五七一年には明と和平を結び（隆慶和議）、互市（馬市）が認められて明との交易で大いに潤ったアルタンは、一五七八年、ゲルク派（黄帽派。学僧ツォンカパを開祖とするチベット仏教四大宗派の一つ）のスーナム・ギャツォ（一五四三～八八）を青海に招き、ダライ・ラマ（三世。大海のような深い知恵を持つ師の意味。一世、二世は追贈）の称号を授与して帰依し、各地に多くのチベット仏教寺院を建立しました。フフホトは、モンゴルのチベット仏教の中心地となっていきました。

ところで、一五五一年に、陶隆房（晴賢）の謀反により大内氏が実質的に滅亡すると（大寧寺の変）、勘合貿易（一五四九年が最後）は途絶えて、日本と大陸との交易は私貿易が中心となりました。後期倭寇にとっては、活躍の場が更に広がったのです。この時期の倭寇は、大半が中国の海民であったと思われます。後期倭寇は、一五五五年には長江を遡り、南京を略奪しました。この前後の一〇年間は後期倭寇の活動が、最も活発であったばかりではなく、アルタン率いるモンゴル軍も精強で、明にとってはまさに「北虜南倭」という言葉が相応しい苦しい時期でした。

マカオの風景（18世紀の絵画作品）

明の政治家、胡宗憲（一五一二～六五）は、一五五六年、離間策（敵を仲たがいさせる企み）を用いて、まず、倭寇の頭目、徐海を破り、翌一五五七年には計略により王直を逮捕しました。そして王直の助命と倭寇の根本原因となった海禁策の緩和を北京に嘆願しましたが容れられず、後に自身も倭寇との結託を疑われて獄死しました。

なお、同じ一五五七年、海賊退治の褒賞としてポルトガル人のマカオ居住が許されました。ポルトガル人は一五五三年以降マカオに住み着き、既成事実を作っていたのです。

マカオは、これ以降、ヨーロッパの冒険商人と布教の使命に憑かれた宣教師の溜まり場となっていくでしょう。なお、マカオがポルトガルに正式に割譲されたのは、一八八七年のことです。

一五五九年、詩書画に秀でて三絶と称された文徴明（一四七〇～）没。沈周（一四二七～一五〇九）が開いた呉派（蘇州を中心に活動）を引き継ぎ明代の文人画を大成しました。

一五六〇年、織田信長は、今川義元を桶狭間で敗死させ頭角を現しました。一五六八年には室町将軍、足利義昭を奉じて上洛を果たし、信長の時代がはじまります。

一五六六年、清廉潔白な官僚、海瑞（一五一四～八七）は、死を覚悟して嘉靖帝の道教耽溺を批判、死刑を宣告されましたが、嘉靖帝が急死したので、釈放され政界に復帰しました。四〇〇年後にこの事件をテーマとした呉晗の歴史劇「海瑞罷官」が姚文元によって批判され、文化大革命の火蓋が切られることになるのです。

一五六七年に即位した第一三代、隆慶帝（在位～一五七二）の下で、名臣、徐階（一五〇三～八三）は、アルタンと和約（一五七一）し、海禁を実質的に解除（一五六七）するなど現実的な政策を採用したので、北虜南倭はほぼ沈静化しました。

朝貢貿易は、礼の秩序に則り回数が厳格に定められていましたが、それでは、豊富な中国の世界商品（お茶、絹、陶磁器など）に対する周辺諸国の旺盛な需要を満たすことが出来なかったのです。アルタンに馬市を認め、諸外国の交易船を寄航させることによって、北虜南倭の原因そのものが取り除かれたのです。海禁・朝貢という建前のシステムから、礼の秩序の体系を取り除いて独立に運営されたこれらの本音の交易システムを、互市システムと呼んでいます。

†イングランド国教会の成立とカルヴァンの宗教改革

宗教改革の嵐は、ローマ教会の側にも反省を促すことになりました。一五三四年、前述したように、パリ大学に学んでいたイグナチオ・デ・ロヨラやフランシスコ・ザビエルら七人の若者が、パリのモンマルトルの丘で、貞潔・清貧・世界への宣教という三つの誓いをたてました。イエズス会が誕生したのです。

同じ一五三四年、イングランドでは国王至上法（首長令）が発布され、イングランドの教会は国王を首長とするイングランド国教会に結集、ローマ教会を離れることになりました。きっかけは、ヘンリー八世の離婚問題（男子の産まれないカトリック両王の娘、キャサリンと別れて、妊娠した愛人のアン・ブーリンとの再婚を望んだヘンリー八世の意向を教皇クレメンス七世が拒否）でしたが、膨大な教会財産が自由になることも、ヘンリー八世にとっては大きなインセンティブになりました。この点は、スウェーデンのグスタフ一世の発想と同じです。

側近のトマス・クロムウェル（一四八五～一五四〇）の活躍により、早くも一五四〇年には約四〇〇もあったすべての修道院の解散が完了しています。世継ぎを求め続けたヘンリー八世

アン・ブーリン

ヘンリー8世

は、結局、生涯に六人の妃を持つことになりました。うちアン・ブーリンとキャサリン・ハワードが、姦通罪で処刑されています。なお、イングランド国教会の教義そのものはプロテスタントよりもローマ教会に近いのですが、イングランドは以降、プロテスタントに広く活躍の場を与えることになります。

フィチーノの影響を受けたイングランドの法律家で人文学者の聖トマス・モア（一四七八～一五三五）は、友人デジデリウス・エラスムス（一四六六～一五三六）の「痴愚神礼賛」に触発され「ユートピア」を書きましたが（一五一六）、大法官としてローマ教会擁護の立場からヘンリー八世の首長令に反対したため、一五三五年に処刑されました。

一五三六年、フランス人、ジャン・カルヴァン（一五〇九～六四）が「キリスト教綱要」をバーゼルで刊行、その後ジュネーヴで宗教改革を開始しまし

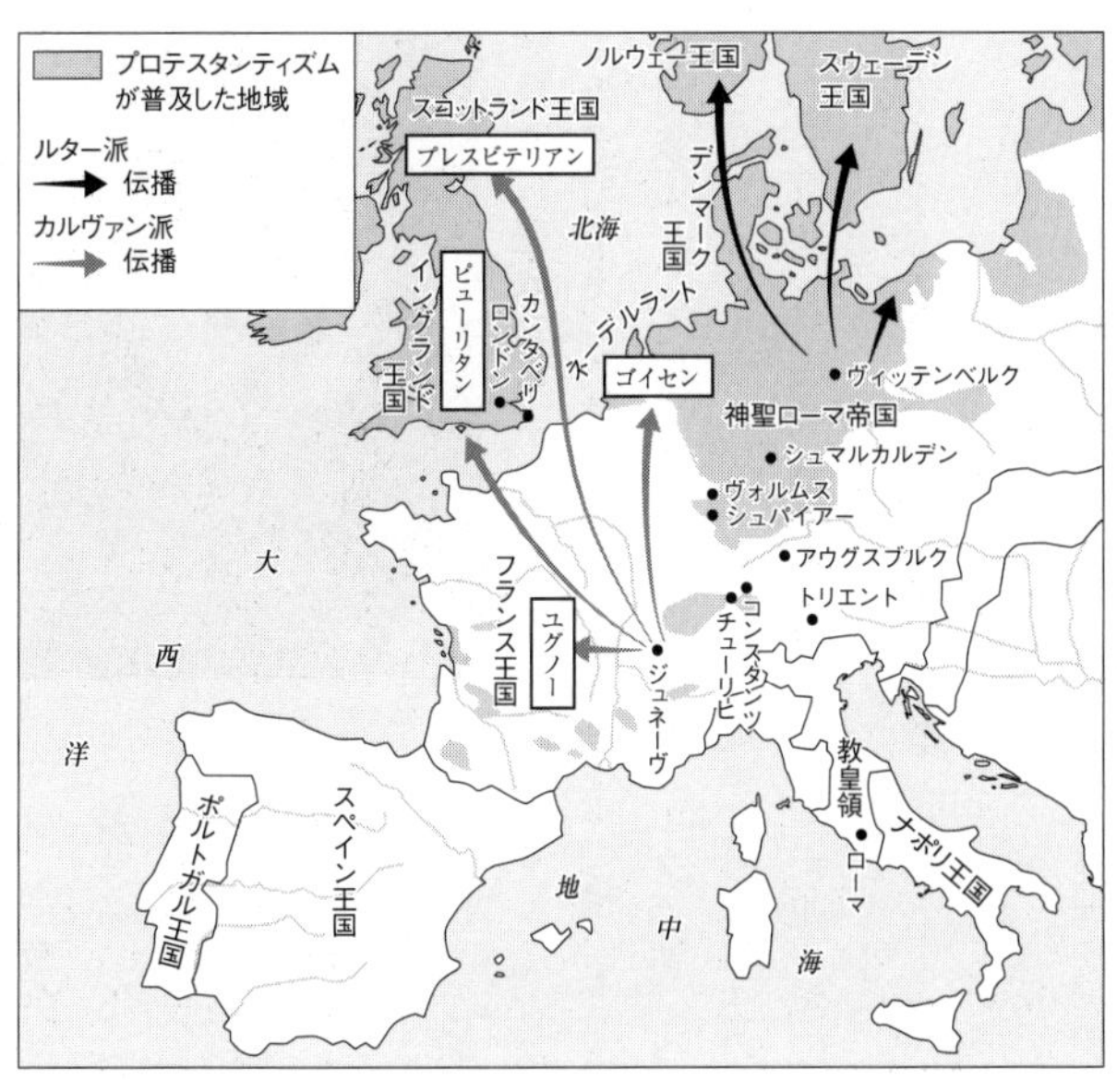

16世紀ヨーロッパにおけるプロテスタントの広がり

た。カルヴァンは、一度ジュネーヴを追われましたが、一五四一年にはジュネーヴに戻り、以降二〇年以上にわたってジュネーヴを神権支配しました。

カルヴァンは、予定説の創始者と目されています。予定説とは、キリストの救済に与（あずか）れるものはこの世に生まれる前からあらかじめ定められているとするもので、カルヴァンの教えを信じる人々は、我こそは選ばれたる者であると信じて、せっせと善行に励んだのです。

生前から救済が定められているのであれば、ローマに詣でて喜捨を行うことは無意味な行為となります。

ローマ教会は、ルター派以上にカルヴァン派と激しく対峙することになりました（ローマ教会と東方教会は、予定説を異端として斥けています）。後に、マックス・ヴェーバーは、この勤勉なカルヴァン主義こそが資本主義を発達させたとして、「プロテスタンティズムの倫理と資本主義の精神」（一九〇四年）を書くことになるでしょう。

カルヴァン

一五四〇年頃、イングランドでは、星室庁裁判所制度が確立、完成されました。これは、ウェストミンスター宮殿の天井に星が描かれた部屋（スターチェンバー）で行われた裁判で、国王大権のもと、通常の裁判では裁けない有力な貴族などを対象としたものです。つまり、テューダー朝、ヘンリー八世の王権が、それほど絶対的なものとなった証左でした。しかし、星室庁裁判は法の支配に反して次第に人々を国王の意に従わせる手段として使われるようになり、一六四一年の長期議会で廃止されることになります。

†トリエント公会議と英仏王家の動勢

一五四五年、教皇パウルス三世によって、トリエント公会議（〜六三）が開かれました。相次ぐドイツでの宗教戦争に疲れたカール五世は、プロテスタントとの和解を期待していましたが、教皇庁は伝統に基づくローマ教会の教義の再確立を主眼としました。都合三回の会議が一八年間にわたって開かれ、ローマ教会はプロテスタントを糾弾し、戦線を立て直すことに成功しました。

プロテスタントの激しい攻撃を受けて、聖職者の腐敗・堕落や、聖人・聖遺物への過度の崇敬は、ある程度是正されました。その結果、教会芸術はみすぼらしくなった、という人もいます。東方（東方教会）に次いで北方（北欧・ドイツのプロテスタント教会、イングランド国教会）を失ったローマ教会は、失地の回復を目指して、切り込み隊長とでもいうべきイエズス会を先頭にアメリカやアジアへの布教に一層注力することになるでしょう。

一五四六年にはプロテスタントのシュマルカルデン同盟がカール五世に宣戦布告し、シュマルカルデン戦争（〜四七）が始まりました。カール五世はミュールベルクの戦い（一五四七）で勝利を収め、同盟を解体に追い込みましたが、プロテスタント諸侯の抵抗は止まず、アウグスブルクの宗教和議に流れていきます。

一五四七年、モスクワ大公国のイヴァン四世は、これまでの大公ではなく、公式にツァーリ（皇帝）としてクレムリンの生神女（しょうしんじょ）就寝大聖堂（ウスペンスキー大聖堂）で戴冠式を強行しました。これは、教会（モスクワ府主教）にとってもロシア教会の権威を見せつける好機でした。生神女は聖母マリアのことで就寝は被昇天を意味する東方教会の用語です。もちろん、諸外国は無視を決め込みました。田舎の大公国をおいそれと帝国と認めるつもりがなかったからです。

同じ一五四七年、ヘンリー八世とフランソワ一世が相次いで没し、エドワード六世（在位～五三）とアンリ二世（在位～五九）が、王位を継承しました。ヘンリー八世は、生前、エドワード六世とステュアート家のスコットランド女王メアリー一世（在位一五四二～六七）を結婚させ、スコットランドを手中に収めようと画策していました。メアリーは、フランス出身の王母メアリー・オブ・ギーズの献策により、一五四八年、イングランド軍の侵攻を避けて、フランスの宮廷に亡命しました。そして、アンリ二世の長男、フランソワ二世（在位一五五九～六〇）と結婚しました（一五五八）。

一五五一年、フランス王アンリ二世がカール五世に宣戦布告し、最後の第六次イタリア戦争（～五九）が始まりました。フランス・オスマン同盟に、カール五世と途中から加わったイングランド女王メアリー一世（在位一五五三～五八）が対峙します。この戦争は、カトー・カンブレジ条約（一五五九）で幕を閉じましたが、フランスはイタリアへの権利を放棄してロレーヌを譲り受けました。フランスとハプスブルク家の間で、六次にわたって戦われ七〇年近くに及んだイタリア戦争は、イタリア諸侯の力を弱め、ハプスブルク家のイタリアへの関与を大きくする結果となりました。

一五五三年、フランス・ルネサンスを代表する偉大な人文主義者、フランソワ・ラブレー

①〜 イングランド王位継承順
(1)〜 スコットランド王位継承順
〈　〉内年号は在位期間

(ヨーク公)
リチャード・プランタジネット

(ヨーク朝)
①エドワード４世
〈1461-70､71-83〉

②リチャード３世
〈1483-85〉

(テューダー朝)
③ヘンリー７世
〈1485-1509〉
＝ エリザベス

(スコットランド・ステュアート朝)
(1)ジェームズ４世
〈1488-1513〉
＝ マーガレット

(フランス王)
ルイ12世 ＝ メアリー ＝ (サフォーク公) チャールズ・ブランドン

(ノーサンバランド公)
ジョン・ダドリー

フランセス・ブランドン ＝ (ドーセット侯) ヘンリー・グレイ

(2)ジェームズ５世
〈1513-42〉
＝ (ギーズ家) メアリー

ギルフォード・ダドリー ＝ ⑥ジェーン・グレイ
〈1553〉

(ダーンリー卿)
ヘンリー・ステュアート
＝ (3)メアリー１世
〈1542-67〉
＝ (フランス王) フランソワ２世

(4)ジェームズ６世
〈1567-1625〉
⑨(ジェームズ１世〈1603 - 25〉)

ジェーン・シーモア

キャサリン・オブ・アラゴン ＝ ④ヘンリー８世 ＝ アン・ブーリン
〈1509-47〉

⑤エドワード６世
〈1547-53〉

⑦メアリー１世
〈1553-58〉

⑧エリザベス１世
〈1558-1603〉

イングランド王位の継承

メアリー1世（イングランド女王）

（一四八三頃〜）没。「ガルガンチュワとパンタグリュエル」という不朽の傑作を残しました。フランソワ一世は戦争に明け暮れましたが、レオナルド・ダ・ヴィンチを招聘（しょうへい）したことからもわかるように、フランスにルネサンスを呼び込んだ君主でもありました。ロワール河畔の城を愛した陽気な王、フランソワ一世は、シャンボール城（世界遺産）などの名建築を残しました。

同じ一五五三年、ヘンリー八世の長女（母はキャサリン）、メアリー一世がイングランド初の女王として即位しました。正確にいえば、熱烈なローマ教会の信奉者であるメアリー一世の登極を危惧した重臣のジョン・ダドリー（一五〇二〜五三）が、ヘンリー八世の妹の孫であるジェーン・グレイを息子と結婚させ、瀕死のエドワード六世を口説いて、ジェーンを女王に擁立しました。しかし、蜂起したメアリー一世に廃位され、ジェーンともども処刑されました。ジェーンは九日間の女王として終わりました。

翌年、メアリー一世は、カール五世の嫡男であるフェリペ二世と結婚して、プロテスタントへの敵意を露（あらわ）にしました。後に、メアリー一世は、プロテスタントの指導者を大量に処刑したことで、ブラッディ・メアリー（血塗（ちまみ）れのメアリー）と呼ばれることになるでしょう。

ポール・ドラローシュ画「レディ・ジェーン・グレイの処刑」(1833年)

†アウグスブルクの宗教和議

一五五五年、数奇な運命を辿ったスペインの女王ファナが死去。よく考えてみれば、カール五世は母のファナの王権を代行していたに過ぎません。同じ年、アウグスブルクの宗教和議でルター派が公認されました(ツヴィングリ派やカルヴァン派は公認されませんでした)。

これは領主(諸侯)の信教の自由を認めたもので、「領主の宗教がその領地の宗教」ということになったわけです。領主の宗派に従えない人は、移住税を払って他の領邦に移住することになりました。結果的に、諸侯の領邦支配権は、宗教にまで及び、更に強化されたのです。ルターを法律の保護の外に置くとしたヴォルムスの帝国議会からここまで来るのに三五年弱を要したことになります。

最大の要因は、カール五世の指導力の欠如でしょう。この和議の結果に落胆したカール五世は、翌年、退位してユステの修道院に引き籠ってしまいました。太陽の沈むことのない帝国を統治したカール五世は、対外的には、フランス（主戦場はイタリア）やオスマン朝（ハンガリーや地中海）との覇権争い、対内的には、ルター派との争いに生涯を費やしました。幸運にも、アメリカの金銀がカール五世の戦費を支えたので、スペイン本国の衰微はそれほど表面化はしませんでしたが、内実は火の車でした。凡庸なカール五世には、荷が勝ちすぎたのかも知れません。

スペイン、ネーデルラント（フランドル）、イタリアとアメリカなどの海外領土は嫡男のフェリペ二世（在位一五五六～九八）が、皇帝位とオーストリアは弟のフェルディナント一世（在位一五五六～六四）が継ぎ、ハプスブルク家は、スペイン家とオーストリア家に分かれることになりました。

この頃、オスマン朝の首都、イスタンブルでは、コーヒーの普及が始まっていました。一五五四年に最初のコーヒーハウスが誕生したとの記録があります。エチオピアのカファ地方を原産とするコーヒーは、対岸のイエメンを経て医薬品としてアラビアに伝えられ（九〇〇年頃）

その後、イスラーム圏で飲み物に進化しました。ヨーロッパには、イスラーム商人により、一六一五年、ヴェネツィアに伝えられたといわれています。一方、オスマン朝のウィーン包囲（一五二九）の際、ウィーンに伝えられたとする説もあります。一五五七年、イスタンブルではミマール・スィナン（一四九〇頃〜一五八八）の建築によるオスマン建築の最高傑作、スレイマニエ・モスク（世界遺産）が完成しました。

(3) インドと中国、その経済・社会システム

†インドのアクバル、日本の信長

一五五六年に即位したムガール朝第三代のアクバル（在位〜一六〇五）は、さっそく大きな試練に曝（さら）されました。スール朝の武将、ヘームー（一五〇一〜五六）率いるアフガン軍が、ベンガルから進撃し、アーグラを制圧、首都デリーをも占領したのです。第二次パーニーパットの戦いが行われ、バーブル以来の重臣である摂政バイラム・ハーン（一五〇一頃〜六一）に助

アクバル

けられたアクバルは、数に勝るアフガン軍を打ち破りました。

一五五八年には、アーグラに遷都しています。一五六〇年、アクバルは乳母のマーハム・アナガ（生年不詳～一五六二）の助けを借りてバイラムを解任しました。頑迷なイスラーム教徒であったシーア派の摂政とアクバルは、宗教観を異にしていたのです。

しかし、今度は乳母一族が専横を極めるようになります。乳母の一族を粛正してアクバルが実権を握ったのは一五六二年のことでした。一五六四年、アクバルは、非ムスリムに課せられていた人頭税を廃止、宗教間の融和に向けて大きく舵を切りました。インドでは、人口の圧倒的多数がヒンドゥー教徒だったからです。

アクバルは、八世紀から一一世紀初頭にかけて北インドを支配したプラティーハーラ朝を建国し精強をうたわれたラージプート族から妃を迎え、貴族に抜擢して同盟関係を強固にしました。そして、インド各地の征服に乗り出したのです。アクバルは、寛容を旨としたので地方の君侯の帰順が相次ぐようになりました。その少し前、南インドのマドゥライでは、ヴィシュワナータ・ナーヤカ（在位一五二九～六三）が即位し、彼の下で、南インド最大規模のミーナークシ寺院（ヒンドゥー教）の建立が始まっていました。

一五五九年、フェリペ二世は、ヌエバ・エスパーニャの副王ルイス・デ・ベラスコ（一五一一〜六四）に、自らの名に因んだフィリピンや香料諸島（モルッカ諸島）の征服を命じました。ベラスコは、ミゲル・ロペス・デ・レガスピ（一五〇二〜七二）を遠征指揮官に任命しました。

一五六五年、メキシコを出航したレガスピはセブ島に植民しました。レガスピは、増援依頼と復路開拓のためアンドレス・デ・ウルダネータ（一四九八〜一五六八）をメキシコに戻します。ウルダネータは経験を積んだ航海士でした（エルカーノの一行に次ぐ史上二番目の世界周航達成者）。彼は一五六五年にアカプルコに入港して「ウルダネータの航路」を開きました。そして、メキシコからの援軍を得たレガスピは、一五七一年にマニラに向かい、恒久的な入植地をマニラに成立させました。スペイン領フィリピンの歴史が始まったのです。レガスピは、エンコミエンダ制を導入し統治に注力しましたが、個人資産は征服活動に全て投入し貧困のうちに人生を閉じました。

一五六八年、日本では、織田信長が入京して、天下人となりました。一五七六年には、日本初の天守閣を持つ安土城が構築されています。信長は、もし永らえていれば、持統天皇・藤原不比等のコンビに次ぐ日本のグランドデザイナーになった可能性があると思います。平清盛、足利義満の流れを汲む海洋国家、日本が誕生しようとしていたのです。後期倭寇の基地となった九州の島々はもとより、商人の都市国家、堺にも海外雄飛へのエネルギーが充満していました。

信長は、伝統宗教から自由であり（最大のライバルであった武田信玄や上杉謙信が晩年に法体となったことは象徴的です）、広い世界（情報）に対する好奇心に溢れていました。別に、信長一人がそうだったのではありません。

ローマ教会は、わずか半世紀の間に、三〇万人以上の信者を獲得しました。これは、東アジアでは群を抜いた布教実績です。しかも、信者には宗教論争に敗れた僧侶などインテリ階級が多かったといわれています。ロジックを理解する素地が日本人の間に育っていたのです。

また、鉄砲の急速な普及は、新しい文化を率直に受け入れる何よりの証左であるといえるでしょう。このような日本の開明的、開放的な流れの頂点に信長がいたのです。

時代とリーダーのベクトルは一致していました。国内には豊富な銀山を持ち、軍事力も充実していました。一六〇〇年の日本のGDPは、スペイン本国の約一・五倍の規模があったと推計されています。冷静に、当時の世界情勢を判断すれば、明の海禁同様の愚かな鎖国政策を選択する必要性はどこにもなかったのです。

一五七一年、アクバルは、新都、ファテープル・シークリー（世界遺産）の造営を開始しました。そして翌年、グジャラートを征服して、北インドをほぼ統一します。グジャラートは、古くからインドの対外交易の拠点であり、この地方を押さえたことでムガール朝の財政構造は格段に強化されました。

張居正による税制改革

一五七二年、明で、一〇歳の万暦帝（在位～一六二〇）が即位すると、かつて徐階に抜擢された内閣大学士の張居正（皇帝の学問の師。一五二五～八二）が全権を掌握し、矢継ぎ早に国政の大改革を開始しました。

まず、張居正は、一五七三年に、考成法を制定しましたが、これは、元来、皇帝の秘書であった内閣大学士（永楽帝が創始）に官僚の勤務評定権を付与したもので、これにより、内閣大学士は、官僚機構の頂点に立つことになりました。要するに、官僚の人事権を掌握したのです。

張居正

一五七七年には、万暦帝の奪情の勅旨を盾に父の死に際しても辞職せず（儒教の教えでは丁憂として一旦辞職して原則三年間の喪に服すべきでしたが、張居正は喪に服している間に権力を失うことを恐れたのです。丁憂を行わせないことを奪情といいます）、一五七八年からは、全国の田地の丈量を始めました（〜一五八〇）。これは、正確な測量を行い、郷紳（士大夫の流れを汲む地域を基盤とするエリート豪族層で、科挙を受験して得られる一定の肩書を持っていることが一般的でした）の隠し田を摘発して税収の増加を企図するものでした。わが国の検地と同じ発想です。

丈量を成功させた張居正は、一五八一年、両税法に代えて一条鞭法を全国的に施行しました。中国では、明の中期以降に経済が発展して大量の銀が市中に流通するようになると、農本主義を前提としていた里甲制が崩れ始め、雑役や税糧の銀納化が進み正役も銀に換算されるようになっていました。そうなれば、一括して銀で納める方が効率的です。

一五六五年、浙江省で、それまでの両税法に代えて、県毎に、徭役（正役と雑役）と税糧を銀換算で合算し、それを、正丁（人頭税）と田地（土地税）に割り当てて、納税者から一括徴収する一条鞭法が現れました。張居正は、それを全国に適用したのです。

その背景には、豊富な世界商品を持つ中国の巨大な貿易黒字がありました。アメリカや日本の銀が大量に中国に流れ込み、中国では、銀が貨幣として流通するようになっていました。アヘン戦争前夜まで、中国は、世界中の銀を飲み込み続けましたが、銀の絶対量が不足すると、交易は滞るようになりました。そこで、ヨーロッパや日本では、マイセン磁器など代替品の国産化やフカヒレなどの海産物（俵物）やアヘンの輸出（新規商品の開発）などが行われるようになったのです。

一条鞭法は、また、社会の仕組みを大きく変えました。里甲制が崩壊したので、郷約が自治の中心となり、収税や治安の維持は地方政府の責任となったのです。明では、地方官の腐敗を防ぐため、その任期は三年程度でした。地方官は、収税が滞りなく行えるよう、生産基盤の整備に注力するようになりましたが、短期間で確かな施策を行うためには、郷紳の協力が不可欠でした。郷紳はこうして再び勢力を蓄えたのです。

税制改革を成し遂げた張居正は、一〇年分の食料と四〇〇万両の余剰金を国庫に残したといわれています。一五八二年、張居正が没すると、余りにも厳しく躾けられた万暦帝は、その反動で無軌道な天子となり、明は再び滅亡への道を歩み始めることになりました。

「徭役」 古代国家で成年男子（正丁）に課せられた一時的な強制労働で、賦役とも呼ばれる最古の課税形態の一つです。古代国家は、無償で人々を一定期間徴発し、公共事業などに使役していました。徭役には、国家から一律に課された正役（歳役）と地方官に課された雑役（雑徭）との二つがありました。雑役は古くから銭納で代替されていたようです。

†アクバルによる帝権確立

アクバルは、臣下に給与を伴う三三段階の位階（マンサブ）を与え、それぞれの位階に応じた兵馬の維持を義務づけました。この中央集権的な軍人官僚制度は、マンサブダーリー制と呼ばれています。給与は一般に封土（ジャーギール）の形で与えられました。

アクバルは、また、全国の検地を行い生産能力に応じて土地を四つの等級に分けました。そして、それぞれの平均生産高の三分の一を銭納させました。この徴税制度は、ザブト制と呼ばれています。検地や銭納という発想は張居正とほとんど同じです。

こうした中央集権的な改革に対して一五七九年にはベンガル、ビハール地方を中心に反乱が起こりましたが、数年で鎮圧されるとアクバルの帝権は揺るぎのないものとなりました。

この頃、宗教に寛容であり、さまざまな宗教に関心を寄せていたアクバルが、すべての宗教を包含した「ディーニ・イラーヒー」（神聖教）を創始したという話が長らく伝わっていましたが、史料的に裏づけることができないため、今日では否定的に捉えられています（信長にも似たような話が伝えられています）。

アクバルの宮廷では、ペルシャのミニアチュールに起源を持つ優美なムガール絵画が盛んになりました。また、アクバルは、ヒンドゥスターニー音楽（北インドのイスラーム王朝で発展した北インドの古典音楽）の大家、ミヤン・ターンセーン（生年不詳～一五八六）を招いて厚遇しました。以降、ターンセーン一族は、二〇世紀までインド古典音楽の世界に君臨し続けることになります。

ムガール朝がサファヴィー朝ペルシャと接する最前線のアフガニスタンは、アクバルの弟のカーブルの太守、ミールザー・ハキーム（一五五三〜八五）が守っていましたが、ハキームはアクバルに反抗的でベンガル、ビハールの反乱にも加担しました。アクバルは一五八一年、自ら大軍を率いてアフガニスタンに向かい、カーブルに入城、ハキームは逃走しました。

中央アジアでは、ブハラ・ハン国（シャイバーニー朝。一五五七年にサマルカンドからブハラに遷都）が、アブドゥッラーフ二世（在位一五八三〜九八）の下で最盛期を迎えようとしていましたが、アクバルは、その圧力に対抗すべく、一五八四年、首都をラホールに移してカーブルを直轄地としました。アクバルは、一五八六年にはカシミールを、一五九一年にはインダス川下流のシンドを、一五九五年にはバルーチスターンやカンダハールを支配下に置き、北西の守りを固め終えて、一五九八年にはアーグラに首都を戻しました。

ムガール絵画

アクバルは、インド史上、アショーカ王やシェール・シャーと並ぶ名君と称えられています。アクバルは幼少時代、父フマーユーンがシェール・シャーに敗れて亡命生活を余儀なくされたので、カーブルで人質生活をおくるなど辛酸をなめています。その経験が、毅然とした態度と寛容な性格を併せ持つ名君を生み出したのでしょう。

一五八二年、織田信長が本能寺の変で自尽、日本の天下人は、豊臣秀吉に代わりました。世界情勢に通じた信長の突然の死は、日本の歴史を大きく変えることになります。

同じ一五八二年、フェリペ二世の命令で、フィリピンからモルッカ諸島征服隊がおくられ、一五一二年以来香料貿易を独占していたポルトガルとの間でモルッカ諸島争奪戦が始まりました(この争奪戦には一五九九年にネーデルラントが加わって三国の争いとなりましたが、ネーデルラントが勝利を収めました。次に、ネーデルラントは一六一五年に参戦したイングランドと激しい争いを繰り広げましたが、一六二三年のアンボイナ事件でイングランドを駆逐したネーデルラントが最終的に勝利を収めました)。

†女直族のヌルハチ

中国の東北部には、ジュシェン(女直)と呼ばれる狩猟民が生活していました。その昔、金を建国した民族です。一五世紀初め、永楽帝は、ジュシェンを分割統治していましたが(中国に近い順に建州女直五部、海西女直四部、野人女直四部と呼ばれました。彼らは内部抗争を繰り返していました）、張居正の時代になると、むしろ有力な部族を育てて交易を円滑に行おうとしました。こうして、ヌルハチが選ばれたのです。

クロテンの毛皮を輸出して勢力を蓄えた建州女直族のヌルハチは、一五八三年、周囲の勢力を統合してマンジュ国を建てました。これは、彼らが信奉していたチベット仏教の文殊菩薩（東方を守護）に因んだものであり、後には自らをマンジュ（満洲）族と呼ぶようになりました。

一五八七年、ジャワ島中部のジョグジャカルタを基盤とするイスラームのマタラム王国がセノパティ・イン・アラガ（在位〜一六〇一）によって建国されました。セノパティは、ジャワ島北岸の港市国家を占領し米の輸出によって勢力を伸張させることになります。

ヌルハチ

一五九〇年、タイでは、ナレースワン（在位〜一六〇五）が即位しました。ナレースワンは、一五六九年以来タイを属国化していたミャンマー軍を追い払ってアユタヤ朝（一三五一〜一七六七）の独立を回復したので、大王と呼ばれました。彼の時代に、戦闘技の古式ムエタイが始まったとされています。タイには、大王と呼ばれる王が七人いますが、スコータイ朝（一二四〇〜一四三八）のラームカムヘーン、アユタヤ朝のナレースワン、チャクリー朝

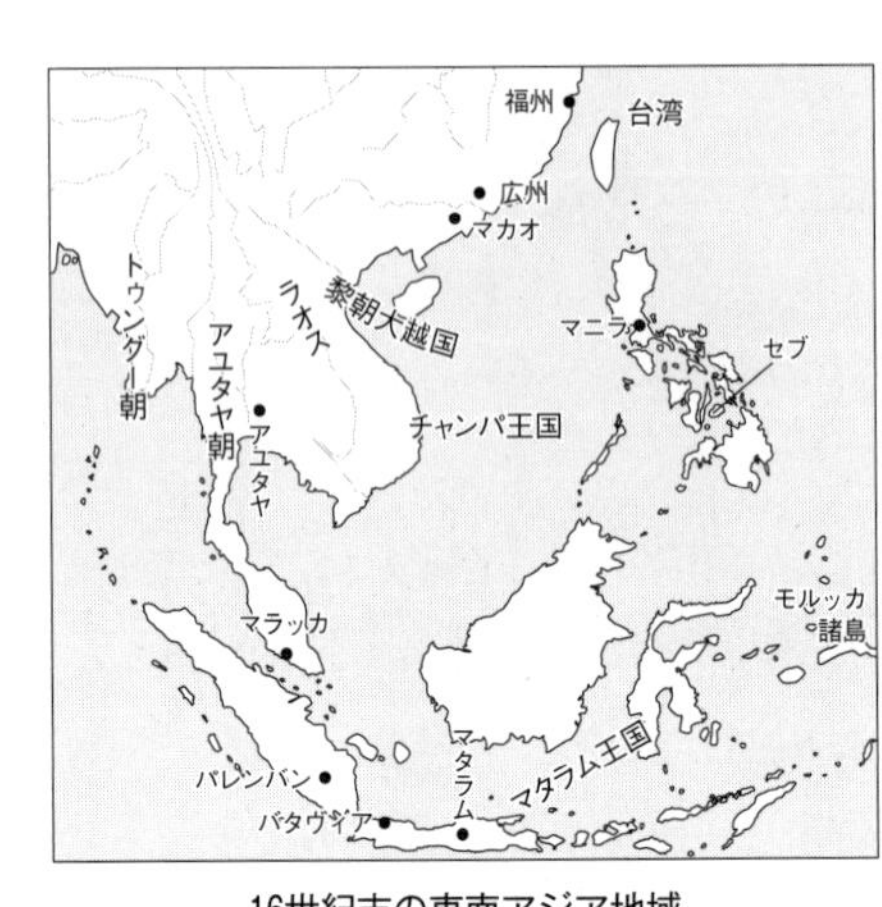

16世紀末の東南アジア地域

（一七八二〜）のラーマ五世の三人が三大大王と呼ばれています。なお、ナレースワンは、スコータイ朝の流れを汲むアユタヤ朝では三番目の王家（一五六九〜一六二九）の出身です。

一五九一年、視野の狭い秀吉はキリスト教を抑圧、翌一五九二年には、朝鮮侵略を開始しました（壬辰倭乱、文禄の役）。秀吉は、朝鮮を経由して明の征服を考えていたのです。

明は、同じ一五九二年に起こったモンゴル人、ボハイの乱の鎮圧に当たった軍を、李如松（一五四九〜九八）に託して派遣し、両軍は膠着状態に陥りました。一旦、休戦協定が結ばれましたが玉虫色の内容だったので、一五九七年、秀吉は朝鮮を再侵略しました（丁酉倭乱、慶長の役）。

朝鮮では、李舜臣（一五四五〜九八）が水軍司令官として日本軍を悩ませました。一五九八年、秀吉の死で、無益な戦いは幕を閉じました。この戦いで秀吉子飼いの西国大名の多くが疲弊し、最大の石高を持ちながら出兵しなかった徳川家康が勢力を伸ばすことになりました。

文化面では、朝鮮の優れた陶磁器の技術が日本に伝えられました。朝鮮に出兵した日本の武将が、秀でた陶工を連れ帰った（拉致した）のです。有田焼（伊万里焼）がその代表であり、有田焼の発展に貢献した李参平（生年不詳～一六五五）は陶祖として今でも崇められています。また、大元ウルスの優れた出版文化の流れを汲む朝鮮の進んだ活版技術もわが国にもたらされ、これが、江戸時代の出版文化隆盛の一因となりました。

朝鮮侵略は、結果的には、大陸の進んだ文化を纏(まと)めて持ち帰るまたとない機会ともなったのです。なお、一五九六年には、完成まで二七年をかけた明の李時珍の薬学書、「本草綱目」が出版されています。日本でも数年を経ずして輸入され、定番の教科書として広く活用されました。林羅山が家康に献上したことでも有名です。北部ベトナムでは、黎朝（南朝）の権臣、グエン・キム（阮淦）が暗殺された後、娘婿のチン・キェム（鄭検。一五〇

壬辰倭乱、釜山鎮の戦い（1592年）を描いた「釜山鎮殉節図」

三〜七〇）が後を継ぎました。

その子で曹操（そうそう）に喩（たと）えられたチン・トゥン（鄭松。一五五〇〜一六二三）は、一五九二年、莫朝（北朝）の都、昇龍（ハノイ）を攻略して南北朝時代を終わらせます。しかしその後は、グエン・キムの一族（阮氏）がフエを拠点に半独立国（広南国）をつくり、ハノイのチン（鄭）氏一族と一八世紀まで続く長い争いを繰り拡げることになります。両豪族の争いの中で、黎朝の皇位は名目的なものとなりました。

(4) スペイン黄金世紀の内実とユグノー戦争

†フェリペ二世の視野狭窄とイヴァン四世の誤算

一五五七年（フェリペ二世の治世二年目）、早くもスペインでは最初のバンカロータ（国庫破産宣言）が出されました。商業や金融、手工業活動や芸術などの担い手であったユダヤ人（一四九二）やイスラーム教徒（一五〇二）を追放し、更に「血の純潔規定」（祖先まで遡って改宗者を都市や政府の役職者から除外。一九世紀の人種主義の前兆となった規則）を適用して改宗者（ユダヤ教からの改宗者であるコンベルソとイスラーム教からの改宗者であるモリスコ）を社会の要職から締め出したスペインは、人口が急減して瞬く間に往時の繁栄を失いました。当然でしょう。現在に引き直せば、米国からユダヤ人やイスラーム教徒及び両宗教からの改宗者を総て追放するような愚挙であったからです。父のカール五世より更に凡庸でローマ教会の教義を盲信したフェリペ二世は、異端審問と血の純潔規定を両輪に、王権の強化を図ろうとしたのです。

かつて、カスティージャの王、アルフォンソ六世（在位一〇七二～一一〇九）は、トレドを手中に収めた後、自ら三宗教の王と名乗って、先進的なイスラーム・スペインの産業や文化を必死に国内に移植しようと努めました。その結果、カスティージャは強国となったのです。何という違いでしょうか。南北アメリカの先住民が酸鼻をきわめたのも、この硬直した人種差別的なスペイン王権の体質によるところが大きいものと思われます。

加えて、広大な海外領土を円滑に統治するには、スペインの国家機構は後進的で余りにも脆弱でした。スペインは、太陽の沈むことのない世界帝国を十分に活用しきれなかったのです。バンカロータはフェリペ二世在位中に、さらに三回起きることになります（一五六〇、一五七五、一五九六）。ウォーラーステインによれば、絶対主義国家が形成されていく中で、君主は貴族や農民から伝統的な権利や生産物を奪って富を集中させようとしますが、国家の権威が広がらずまた再分配を十分に保証できないときに、君主に権利等を奪われた没落貴族や企業家的農民が義賊（海賊など）として立ち上がるということになるのです。因みに、スペインにおける異端審問と血の純潔規定を最初に断ち切ったのは、一九世紀初頭の侵略者、ナポレオン一世でした。

フェリペ2世

一五五八年、バルト海への出口を求めたモスクワ大公国のイヴァン四世がリヴォニア（現在のエストニア、ラトビア）に侵入し、やがてリヴォニアを臣従させたポーランド・リトアニア（同君連合）との間でリヴォニア戦争が勃発しました。この戦争には、スウェーデンなどがリヴォニア側で参戦し、二五年間続くことになります。

イヴァン四世は、ジョチ・ウルスの継承国家でヴォルガ川中流域を支配したカザン・ハン国を一五五二年に併合し、五六年には同じくジョチ・ウルスから分かれたヴォルガ川下流域のアストラハン・ハン国を併呑して、ヴォルガ川をロシアの川としていました。東方を固めたイヴァン四世は西方に目を向けたのです。因みに、モスクワのランドマーク、赤の広場に立つ聖ワシリイ大聖堂（堀の生神女庇護大聖堂・世界遺産）は、カザン・ハン国の征服を記念して建てられたものです（一五五九）。

しかし、ヤギェウォ朝のポーランド・リトアニアは強敵でした。ポーランド・リトアニアのジグムント一世（在位一五〇六〜四八）は、シュラフタ（法的な参政権を持つ特権階級）やマグナート（大貴族）によって構成されるセイム（国会）の掣肘（せいちゅう）を受けながら国内を掌握、一五二五年にはドイツ騎士団を臣従させ、甥にあたる総長アルブレヒトを初代プロイセン公（在位一五二五〜六八）に任命しました。

ジグムント一世はイタリアのスフォルツァ家から嫁いだ妻ボナとともに文化を保護しポーランドでもルネサンスを開花させました。三代の王に仕えた宮廷道化師、スタンチク（一四八〇頃〜一五六〇頃）が有名です。ポーランドでは空前の黄金時代が現出しようとしていたのです。

後を継いだ息子のジグムント二世（在位一五四八〜七二）も名君で、一五六九年にはリヴォニア戦争に対処するため、ルブリン合同により、同君連合を続けてきたポーランド王国とリトアニア大公国を制度的同君連合に衣替えしてポーランド・リトアニア共和国（〜一七九五）を発足させました。実質的

イヴァン四世

には、ポーランドがリトアニアを吸収したのです。

この国はヨーロッパでは、オスマン朝に次いで広大な領土を有していました。なぜ、共和国と呼ぶかといえば、人口の一割程度を占めるシュラフタが国王をセイムで自由選挙で選ぶ仕組みが採られていたからです（黄金の自由と呼ばれました）。一五七一年には、ジョチ・ウルスの継承国家であるクリミア・ハン国の軍隊がモスクワに侵入し、モスクワは焼き払われました。イヴァン四世の野望は潰えつつあったのです。

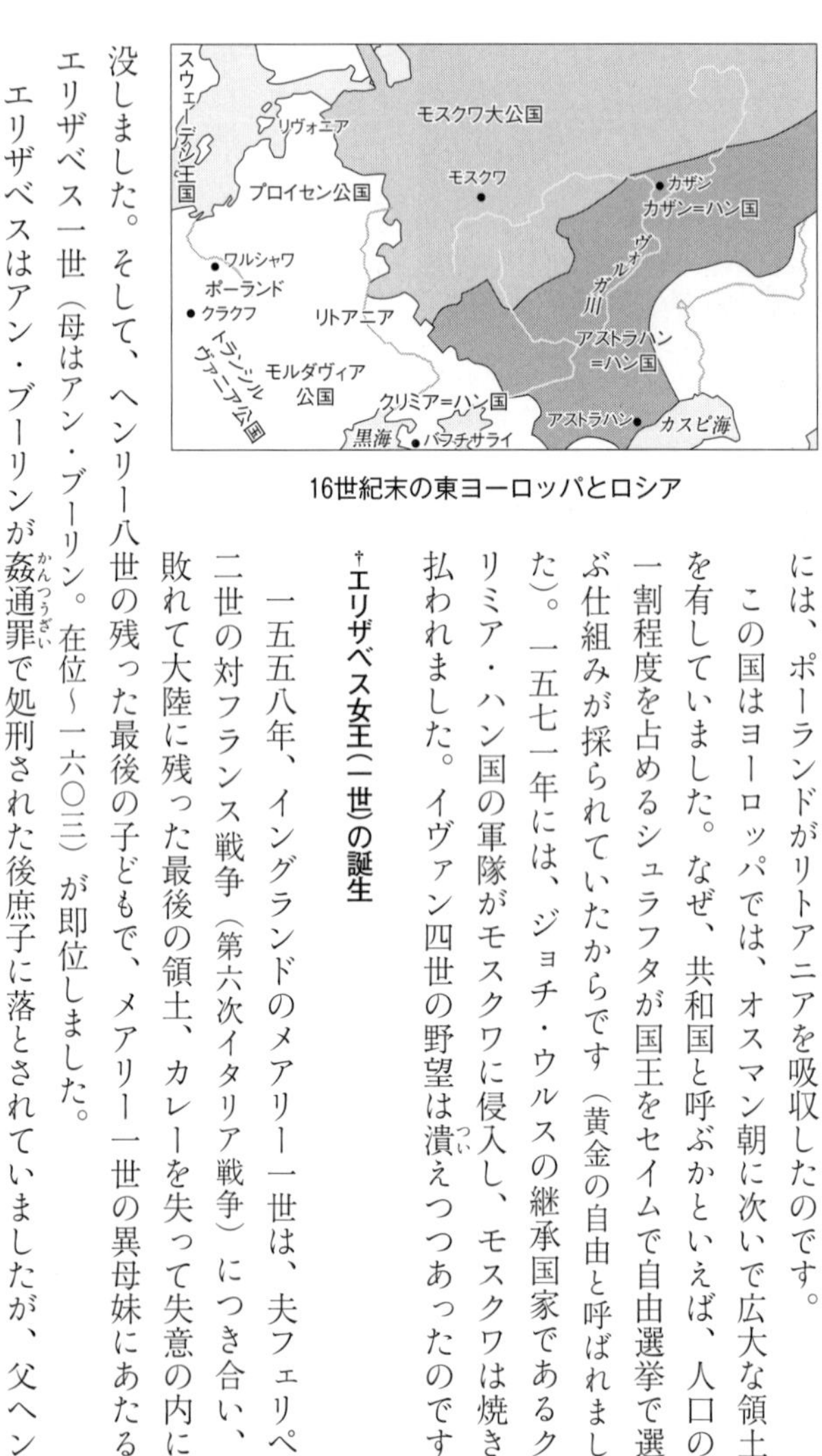

16世紀末の東ヨーロッパとロシア

†エリザベス女王(一世)の誕生

一五五八年、イングランドのメアリー一世は、夫フェリペ二世の対フランス戦争（第六次イタリア戦争）につき合い、敗れて大陸に残った最後の領土、カレーを失って失意の内に没しました。そして、ヘンリー八世の残った最後の子どもで、メアリー一世の異母妹にあたる、エリザベス一世（母はアン・ブーリン。在位〜一六〇三）が即位しました。

エリザベスはアン・ブーリンが姦通罪で処刑された後庶子に落とされていましたが、父ヘンリー八世の最後の妃、キャサリン・パー（一五一二～四八）が、メアリーとエリザベスを養育して教育を施し、ヘンリー八世を説得して一五四三年の第三継承法で、メアリーとエリザベスの王位継承権を復活させていたのです。

エリザベス一世は、賢臣、ウィリアム・セシル（一五二〇～九八）の助けを借りて、プロテスタントの迫害を取り止め一五五九年に再び国王至上法を発布してローマ教会とは一線を画しました。フェリペ二世は不快感を隠しませんでしたが、エリザベス一世は上手に義兄の機嫌をとりました。

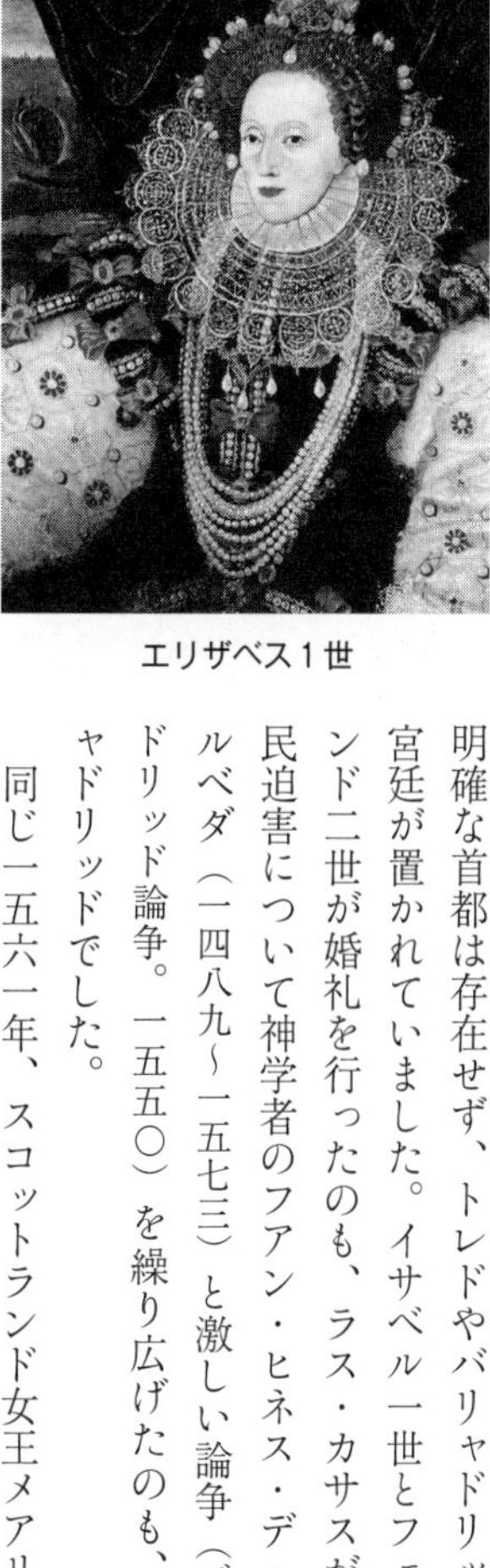

エリザベス１世

一五六一年、フェリペ二世は、首都をマドリードに確定しました。それまでのスペインには明確な首都は存在せず、トレドやバリャドリッドに宮廷が置かれていました。イサベル一世とフェルナンド二世が婚礼を行ったのも、ラス・カサスが先住民迫害について神学者のファン・ヒネス・デ・セプルベダ（一四八九～一五七三）と激しい論争（バリャドリッド論争。一五五〇）を繰り広げたのも、バリャドリッドでした。

同じ一五六一年、スコットランド女王メアリー一世は、夫であったフランス王フランソワ二世（在位一五五九〜六〇）が病死したので、フランスから帰国しました。やがて、メアリー一世は、ダーンリー卿と再婚してジェームズ（後のイングランド王ジェームズ一世）を産みますが、ダーンリー卿は暗殺され彼女も内紛に敗れて、一五六八年、イングランドに亡命しました。

メアリー1世（スコットランド女王）

この亡命は、深刻な問題を引き起こしました。なぜなら、メアリー一世はヘンリー七世の長女でスコットランドに嫁いだマーガレットの直孫にあたり、イングランドの王位継承権を持っていたからです。エリザベス一世は、メアリー一世に自由な生活をおくらせましたが、メアリー一世が事あるごとに王位継承権を主張し、エリザベス一世廃位の陰謀に関係するに及んで両者の緊張関係は高まっていきました。

†ユグノー戦争の始まりと奴隷貿易

一五六二年、フランスでユグノー戦争（宗教戦争）が勃発しました。この内乱は、八次にわたって四〇年近く続くことになります。

宗教改革の嵐はフランスにも及び、フランスではカルヴァン派が勢力を伸ばしてユグノーと呼ばれるようになりました。カルヴァン派は、ネーデルラントではゴイセン（乞食党）、スコットランドではプレスビテリアン（長老派）と呼ばれます。フランスの貴族も両派に分かれ、ブルボン家はユグノーに、スコットランド王家と姻戚関係を築き、スコットランド女王メアリー一世がフランソワ二世と結婚したことで宮廷内に地位を築いたギーズ家はローマ教会に与しました。

一五五九年に、フランス王、アンリ二世が騎馬槍試合（現代のF1グランプリのようなものだったのでしょう）で事故死した後、病弱で幼い国王、フランソワ二世、シャルル九世（在位一五六〇～七四）を擁して、国政を担っていた母后カトリーヌ・ド・メディシス（一五一九～八九）は、一五六二年にユグノーに信仰の自由を認める勅令を出しました。これに反発した第二代ギーズ公フランソワ（一五一九～六三）の軍隊がヴァシーでユグノーを虐殺したことが、ユグノー戦争の幕開けとなりました。

カトリーヌ・ド・メディシス

予言集で有名なミシェル・ド・ノートルダム（ノス

トラダムス。一五〇三～六六）はこの時代の人です。医者でもあったノストラダムスは常識人で、暦やジャム作りなどのノウハウ書によって生計を支えていました。

同じ一五六二年、イングランドの海賊、ジョン・ホーキンス（一五三二～九五）が奴隷貿易に乗り出しました。これは、スペインにとっては密貿易に他なりませんでした。スペインは、王室の公益事業で利用されていたアシエントと呼ばれる伝統的な請負契約を奴隷貿易に適用して、一五一三年に最初の奴隷貿易許可状を発行しました。そこでは契約者（ポルトガル商人など）は、奴隷一名につき二ドゥカート金貨を税として王室に納めなければならないとされていました。ホーキンスは当然のこととしてアシエントを結んでいませんでしたから密貿易となるのです。ホーキンスは自らアフリカから奴隷を運ぶのではなく、アフリカから奴隷を運ぶポルトガル船を襲って乗っ取り、奴隷を獲得していました。エリザベス一世は、ホーキンスに船を提供していました。

ナイジェリアの海岸にあったベニン王国（一一七〇～一八九七）などアフリカの黒人国家が、戦争捕虜をポルトガルに貿易代金として支払ったことが、奴隷貿易の始まりといわれていますが、コロン交換によってユーラシアから持ち込まれた病原菌により、アメリカ大陸の先住民人口が急減し（九割以上が死に絶えたといわれています）、労働力の不足を来たしたことが、奴隷貿易の背景にありました。既に、一五〇一年から黒人奴隷がアメリカに運ばれています。アフリカは、金と象牙の供給地から一六世紀末以降、奴隷の供給地へと変貌を遂げていくことになります。一六世紀に新大陸に運ばれた奴隷は約二八万人、これに対して一七世紀が約一九〇万人、一八世紀が約六五〇万人、一九世紀が約三九〇万人と推計されています。

一五六五年、ブラジルに、リオ・デ・ジャネイロ市が建設されました。一五六八年、スペイン艦隊は、メキシコでホーキンス艦隊と遭遇して、長年の鬱憤を晴らしました（サン・ファン・デ・ウルア事件）。命からがら逃げだしたホーキンスのいとこ、フランシス・ドレーク（一五四三頃〜九六）は、スペインに対する復讐を誓い、一五七〇年以降、西インド諸島で海賊活動を活発化させました。

一五六八年、フェリペ二世の宗教弾圧に耐えかねて、旧イスラーム教徒（モリスコ）が、グラナダで反乱（〜一五七〇）を起こしました。同じ一五六八年、ネーデルラントのプロテスタントもオラニエ公（南仏のオランジュに所領がありました）ウィレム一世（在位一五四四〜八四）を頭領に反乱の狼煙を揚げました。ネーデルラント独立戦争（八〇年戦争）が始まったのです。フェリペ二世は一五六七年にアルバ公、フェルナンド・アルバレス・デ・トレド（一五〇七〜八二）をネーデルラント総督に任命しました。アルバ公は「血の審判所」と呼ばれた弾圧機関を設け多くのプロテスタントを処刑しましたが、この恐怖政治が八〇年戦争のきっかけになったと考えられています。翌一五六九年、後期北方ルネサンスを代表する大画家、ピーテル・ブ

ヴァザーリの回廊

リューゲルが没しました。

一五六九年、フィレンツェを統治していたメディチ家のコジモ一世が、教皇聖ピウス五世（在位一五六六〜七二）より大公位を得て、フィレンツェ公国はトスカーナ大公国となりました。

聖ピウス五世は異端やプロテスタントとの対決に力を入れ、ローマ教会の綱紀粛正に取り組みました。イングランドのメアリー一世を擁護し、エリザベス一世を破門したことでも有名です。なお、この破門は教皇による世俗君主に対する最後の破門となりました。

コジモ一世は、ルネサンスの芸術家の列伝で有名な画家で建築家のジョルジョ・ヴァザーリ（一五一一〜七四）を重用して、政庁（オフィス。今日のウフィツィ美術館）や、自宅（ピッティ宮）から政庁までの渡り廊下（ヴァザーリの回廊）を造らせました。この渡り廊下は、ヴェッキオ橋の上を通っていますが、肉屋の臭気を嫌ったコジモ一世は、ヴェッキオ橋を占拠していた肉屋を退去させ、貴金属商に替えたといわれています。

同じ一五六九年、フランシスコ・デ・トレド（在位〜八一）がペルー副王に任命されました。トレドは辣腕を発揮して植民地の法秩序を回復し、ポトシなどの銀山に水銀アマルガム法を導入して生産高を急増させました。

一五七〇年頃から、メキシコ銀（ペルーの銀も先ずパナマに運ばれ、そこからヨーロッパやマニラに転送されたので、メキシコ銀と呼ばれました）が大量にヨーロッパに流入を始め、人口の増加（ジャガイモやトウモロコシなどアメリカ産作物の貢献が大きいと考えられています）などの需給要因と相俟って価格革命（長期にわたるインフレーション）が生じました。この価格革命により、固定地代に頼る従来の封建的な貴族、地主層が没落し、新興の商人や企業家的な地主層（富裕農民）が勃興したのです。

一五七二年からは、マニラ―アカプルコ間のガレオン船による定期的な交易が開始されました。新大陸の人々は、豊富なメキシコ銀で、中国の絹や陶磁器を買い漁ったので、マニラには中国人の海商が大挙して居住するようになりました。フェリペ二世は居住の制限を試みましたが、実効性は上がりませんでした。

「**水銀アマルガム法**」 銀鉱石を粉砕して塩水と水銀を加え攪拌すると、銀と水銀の合金が沈殿します。この水銀アマルガムを加熱して水銀を蒸発させると、銀が分離されます。この技術によって、低品位鉱からも、銀の抽出が可能となりました。

一五七一年、キプロスを征服したオスマン朝に対して、スペイン・ヴェネツィア連合艦隊がレパントの海戦を挑み、勝利を収めました。カール五世の庶子、ドン・ファン・デ・アウストリア(一五四七~七八)が指揮を執りました。

この戦いに参加したミゲル・デ・セルバンテス(一五四七~一六一六)は負傷して左手の自由を失いました。その後も従軍を続けたセルバンテスは海賊に捕まりアルジェで五年間の虜囚生活をおくることになります。

オスマン朝を初めて破ったことで、ヨーロッパは自信を回復しましたが、フェリペ二世はこの好機を活かす術を知らず、オスマン艦隊は、半年で再建されました。レパントの海戦は、最後のガレー船団同士による海戦とされています。

同じ一五七一年、スレイマン一世に見出だされ三代のスルターンに仕えたオスマン朝の大宰相、ソコルル・メフメト・パシャ(一五〇六~七九)が故郷ボスニアのドリナ川に橋を架けました。この美しい石橋は、二〇世紀に入り、イヴォ・アンドリッチの名作「ドリナの橋」(一

ドリナの橋

九六一年、ノーベル文学賞受賞）や、ボスニア内戦で一躍有名になりました。

†サン・バルテルミの大虐殺から三アンリの戦いへ

一五七二年、パリで、サン・バルテルミの夜（八月二四日）に大虐殺が生じ、多数のユグノーが犠牲となりました。

国王シャルル九世の母后カトリーヌは、両派の融和を図るため、ユグノーの頭領、ブルボン家のナバラ王アンリと王妹のマルグリットを結婚させました。祝賀のため、ユグノーの闘将、コリニー提督など多くのユグノーがパリに集まりました。そこを、第三代ギーズ公、アンリ一世（一五五〇〜八八）の軍隊が襲ったのです。父親のように慕っていたコリニー提督を失ったシャルル九世は、狂気に走ったともいわれています。このサン・バルテルミの虐殺で、融和は一気に吹っ飛びました。

同じ一五七二年、ポーランドでジグムント二世が子どもを残さずに死去し、ヤギェウォ朝が絶えると、ポーランドの国会

（セイム）は、カトリーヌの三男、アンリ（後のフランス王アンリ三世）を国王に推戴しました。ポーランド・リトアニア共和国最初の選挙王です。

アンリは、ポーランドでは、ヘンリク・ヴァレジ（在位一五七三～七五）と呼ばれました。アンリはクラクフに移住し、パクタ・コンヴェンタ（協定条項）に署名しました。これは、外交や税制などについてセイムと国王の権限を規定したものでした。アンリは、この他ヘンリク条項（二年に一度、セイムを召集することや、セイムの承認なしに課税できないことなど二一条）にも署名しました。

しかし、兄のシャルル九世が逝去したため、アンリはポーランドの王位を捨ててフランスに戻り、アンリ三世（在位一五七四～八九）として即位したのです。

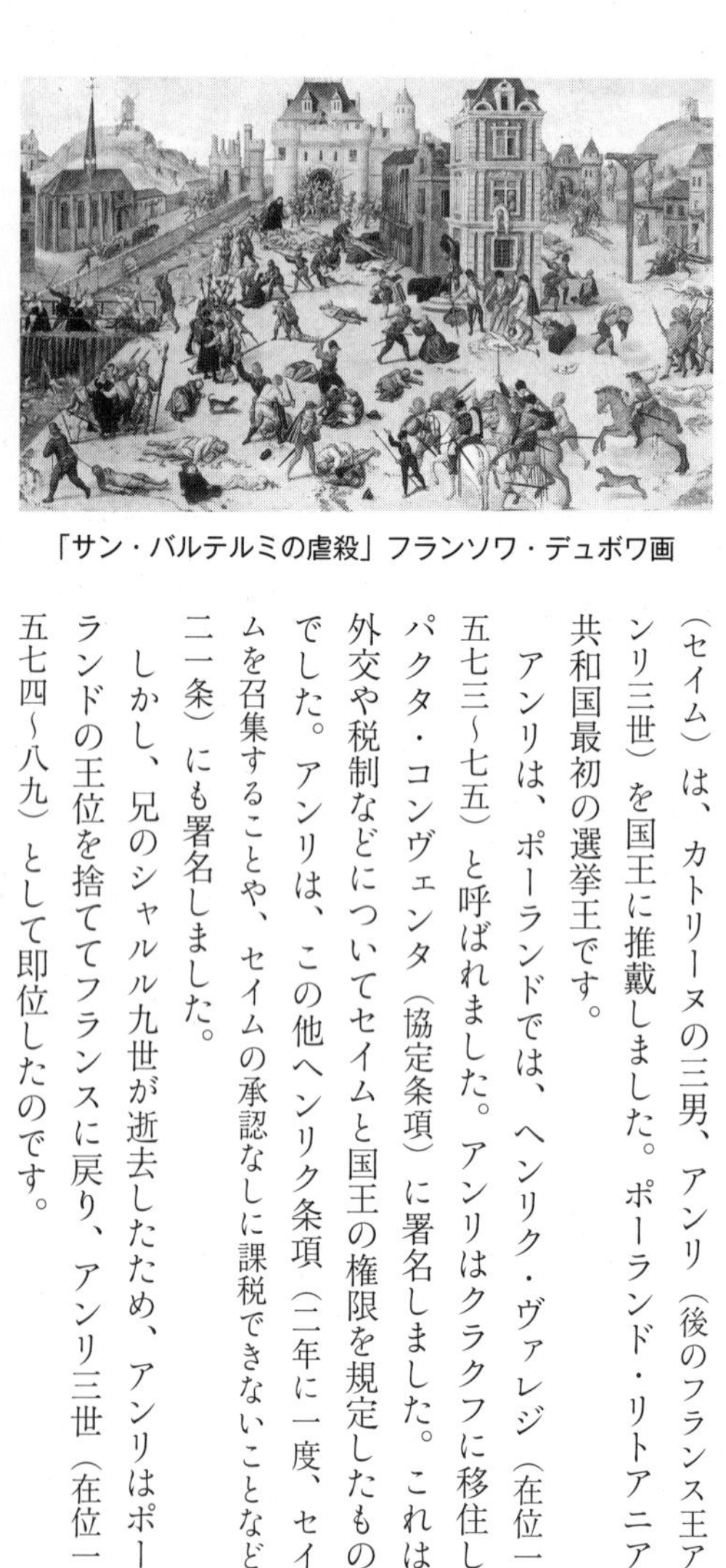

「サン・バルテルミの虐殺」フランソワ・デュボワ画

セイムは、次の王に、トランシルヴァニア公国の統治者、ステファン・バートリ（在位一五七六～八六）を選びました。ステファン・バートリはジグムント一世の娘、アンナと結婚してポーランドを共同統治しました。ステファンはイヴァン四世を劣勢に追い込み、ポーランドの優位を決定づけました。史家からは、最も優れた選挙王といわれています。

その後、フランスでは、三アンリの戦いと呼ばれる宗教戦争が激化しました。フランス王アンリ三世、ローマ教会派のギーズ公アンリ一世、ユグノー派のナバラ王アンリ（後のフランス王、アンリ四世）の争いです。

一五七六年、ユダヤ系の政治学者、ジャン・ボダン（一五三〇～九六）は「国家論」を刊行し、王権神授説による絶対主義（国家主権の至高性）と重商主義を唱えました。一方で、ボダンは、魔女狩りを理論的に支える「悪魔憑き」をも執筆しています。魔女狩りについては、プロテスタントのドイツの医師、ヨーハン・ヴァイヤー（一五一五～八八）が、一五六三年に「悪魔の幻惑」を公刊し、一五世紀に書かれた「魔女に与える鉄槌」（魔女狩りの発端となったハンドブック）を厳しく批判しました。

同年、ギーズ公を首領とするリーグ（旧教連盟）が結成されました。やがて、リーグはフェリペ二世の支持を得ることになりスペインから莫大な援助が行われます。これに対して、イングランドはユグノーを支援しましたが、その援助は微々たるものでした。

ドイツでは、同じ一五七六年、フェルディナント一世の孫、ルドルフ二世が神聖ローマ皇帝に即位しました（在位～一六一二）。政治的には凡庸でしたが、錬金術に多大の興味を持つ異能の人、ルドルフ二世は、一五八三年以降ウィーンから宮廷をプラハに移したので、ボヘミアは文化的な繁栄を謳歌しました。ボヘミアングラスが発展を遂げたのもこの時代です。また、異能の画家、ジュゼッペ・アルチンボルド(一五二六〜九三)は、「ウェルトゥムヌスとしての皇帝ルドルフ二世像」を皇帝に献上しました。ローマ神話の果樹や果物の神に見立てて、皇帝を果実や花々で飾り立てたものです。

ジュゼッペ・アルチンボルド画「ウェルトゥムヌスとしての皇帝ルドルフ二世像」

「魔女狩り」　魔女狩りは、ローマ教会の異端審問から出発したものです。フランス・リヨン出身のピーター・ワルドー(一一四〇〜一二一八頃)が始めたワルドー派はカタリ派と並ぶ中世の異端としてローマ教会から断罪されましたが、ワルドー派の教えそのものは清貧、禁欲を追求し聖書に帰れというもので、アッシジのフランチェスコの教えと相通じるものがありました。ワルドー派の人々は、弾圧を逃れてアルプスの谷間に逃げ込みました。一五世紀に入ってアルプス西部のワルドー派を異端審問が魔女として裁いたことから魔女狩りが本格化したと考えられています。

魔女狩りは、一六世紀後半から一七世紀にかけて民衆の反ユダヤ感情などと結びつきヨーロッパで猖獗(しょうけつ)を極めました。現在では、宗教改革の大きなうねりを抑圧しようとする流れから生じた集団ヒステリーであったと考えられています。魔女の財産は総て教会に没収されましたが、十字軍同様、財産というインセンティブを現場に与えたことが大きな特色となっています。そのため、独善と物欲を原動力としたローマ教会の利潤事業と言い切る学者もいます。犠牲者の総数は、かつては、数百万人にも達するといわれていましたが、学問的な研究が進んだ結果、現在では四万人から六万人の幅で考えられています。

†スペイン黄金時代の内実

一五七七年、ドレークは、エリザベス一世などから出資を受けて約三〇〇トンのガレオン船（帆船）、ゴールデン・ハインド号を旗艦とする五隻の艦隊でプリマスを出港しました。そして財宝を満載したスペインのカカフエゴ号などを襲った後、南米のホーン岬を回って太平洋に出てイングランド人として初めて世界を一周、一五八〇年に生き残ったゴールデン・ハインド号のみがプリマスに帰港しました。

この航海の出資者への配当率は、奪った金銀財宝などにより四七〇〇%にも達し、女王は歳入の一・五倍にあたる三〇万ポンドを受け取ったといわれています。そして、ドレークは叙勲され貴族となりました。エリザベス一世は、ドレークに私掠免許（他国船拿捕免許状）を与えていたのです。フェリペ二世はとうとう義妹の面従腹背ぶりに覚醒しました。

一五八〇年、約二〇〇年続いたポルトガル第二の王朝、アヴィス朝最後の王、エンリケ一世（在位一五七八〜）が没し、フェリペ二世が王位を継承して同君連合を実現しました。フェリペ二世の母イサベルが、アヴィス朝の最盛期を築いたマヌエル一世（在位一四九五〜一五二一）の長女だったからです。因みにエンリケ一世はイサベルの弟にあたります。

アヴィス朝では、絶対王政を築き交易で得た富をつぎ込んでジェロニモス修道院（世界遺産）を建設したマヌエル一世の後を長子ジョアン三世（在位一五二一〜五七）が継ぎました。ところが、ジョアン三世の子どもは早世したので、ジョアン三世の死後は孫にあたる三歳のセバスティアン一世（在位一五五七〜七八）が継ぎました。騎士王と呼ばれたセバスティアン一世は十字軍願望が強く、軍を率いてモロッコのサアド朝（一五〇九〜一六五九）に遠征、マハザン川の戦い（アルカセル・キビールの戦い）で戦死しました。セバスティアン一世にはまだ子どもがなかったので、大叔父にあたる枢機卿のエンリケ一世に王位が移ったのです。

この同君連合によって、フェリペ二世の領土はスペイン史上最大となりました。スペインの黄金時代と呼ぶ人もいます。しかし、その内実をみると、スペイン本土の出血（人口流失）は止まらず、ドル箱のネーデルラントでは反乱が打ち続き、アメリカの銀で表面を糊塗していたに過ぎない「（張りぼての）太陽の沈まない帝国」だったのです。

因みに、ネーデルラントの税収は、新大陸から運ばれる金銀の総量を凌駕（りょうが）していたことが知

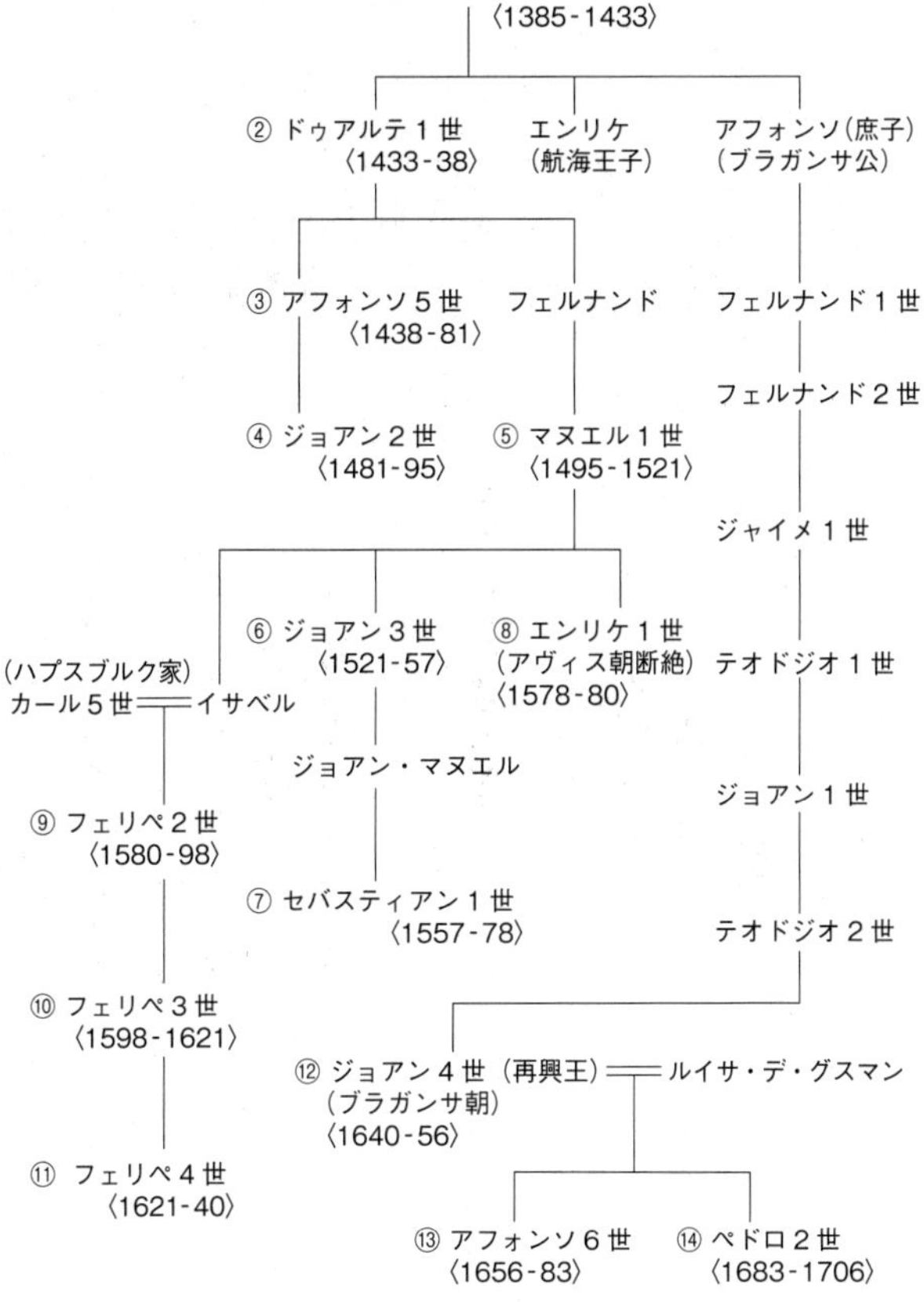
①〜⑭ は即位順
〈　〉内年号は在位期間
(アヴィス朝)
① ジョアン１世 (大王)
〈1385-1433〉
② ドゥアルテ１世
〈1433-38〉
エンリケ
(航海王子)
アフォンソ(庶子)
(ブラガンサ公)
③ アフォンソ５世
〈1438-81〉
フェルナンド
フェルナンド１世
フェルナンド２世
④ ジョアン２世
〈1481-95〉
⑤ マヌエル１世
〈1495-1521〉
ジャイメ１世
⑥ ジョアン３世
〈1521-57〉
⑧ エンリケ１世
(アヴィス朝断絶)
〈1578-80〉
テオドジオ１世
(ハプスブルク家)
カール５世
イサベル
ジョアン・マヌエル
ジョアン１世
⑨ フェリペ２世
〈1580-98〉
⑦ セバスティアン１世
〈1557-78〉
テオドジオ２世
⑩ フェリペ３世
〈1598-1621〉
⑫ ジョアン４世 (再興王)
(ブラガンサ朝)
〈1640-56〉
ルイサ・デ・グスマン
⑪ フェリペ４世
〈1621-40〉
⑬ アフォンソ６世
〈1656-83〉
⑭ ペドロ２世
〈1683-1706〉

ポルトガル王家の系図

られています。同じ一五八〇年、おそらく記録に残る歴史上初めての職業建築家、イタリア、ヴィチェンツァのアンドレーア・パッラーディオ（一五〇八〜）死去、「建築四書」やテアトロ・オリンピコ、ヴィラ・アルメリコ・カプラ（ラ・ロトンダ）等は、やがて一八世紀のイングランドで見直され、同国の建築に多大な影響を与えることになるでしょう。

テアトロ・オリンピコ

†アルマダ海戦（無敵艦隊の敗北）

一五八一年、ユトレヒト同盟（一五七九）で結ばれたネーデルラントの北部七州が、オラニエ公ウィレム一世に率いられて、正式に独立を表明、ネーデルラント独立戦争が本格化しました。アラス同盟で結ばれた南部一〇州はスペインに留まることになりました。以降、北部をネーデルラント、南部をベルギーと呼ぶことにします。

一五八二年、教皇グレゴリウス一三世（在位一五七二〜八五）は、コペルニクスの計算したデータを用いて、ユリウス暦を改訂したグレゴリウス暦を定めました。これが、今日世界中で使われている太陽暦となります。

同じ一五八二年、イエズス会東インド管区の巡察司、アレッサンドロ・ヴァリニャーノ（一五三九～一六〇六）に率いられて、四人の日本の少年が長崎港を出航しました。初めてヨーロッパに渡った日本人となる天正遣欧少年使節です。名作「クアトロ・ラガッツィ」（若桑みどり著）にその感動的な全行程が余すところなく描かれています。

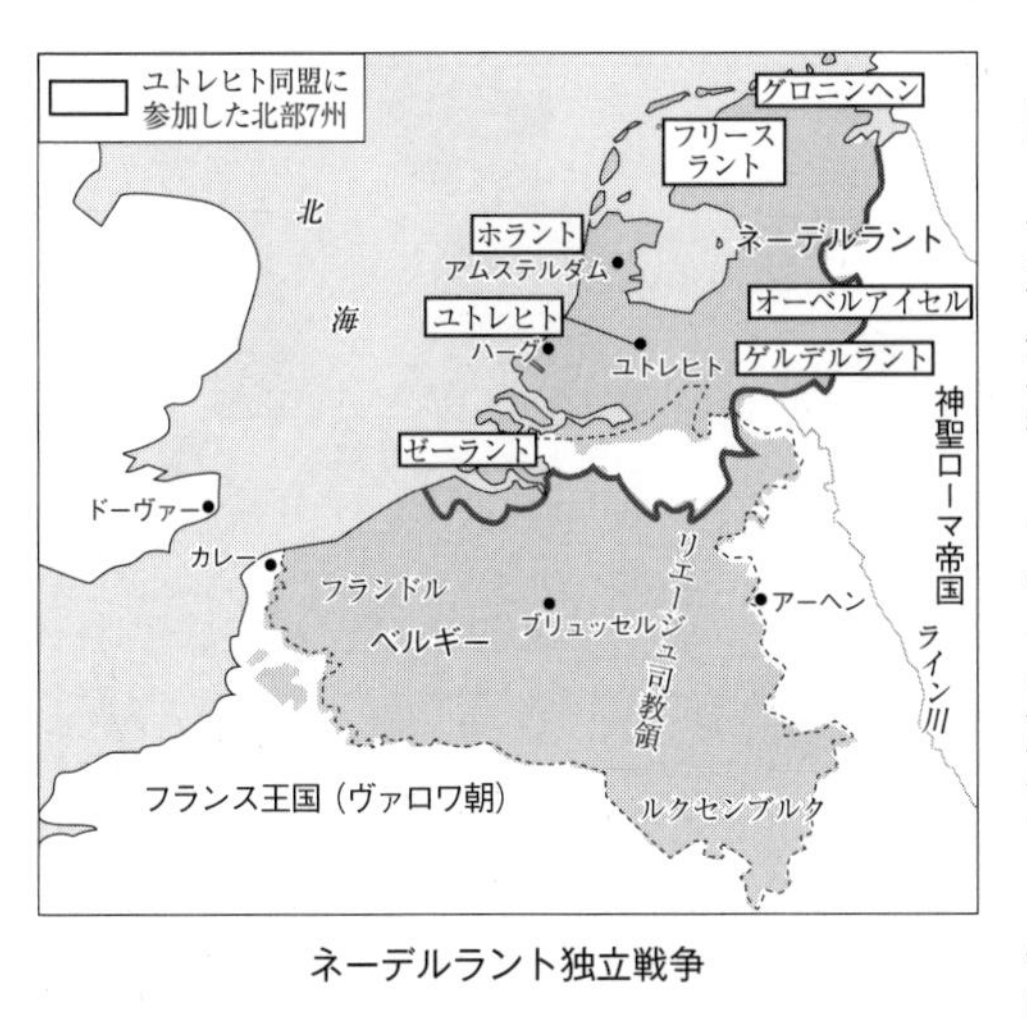

ネーデルラント独立戦争

一五八五年、少年たちはグレゴリウス一三世に謁見し、堂々とした起居振舞で、教皇を感激させました。少年たちは、ローマ教会が宗教改革で失った領土（ドイツ、北欧、イングランド等）を埋め合わせる新しい領土（新大陸やアジア）の象徴だったのです。遣欧使節を企画したヴァリニャーノのもくろみは的中したのです。少年使節は、グレ

天正遣欧少年使節

ゴリウス一三世の没後に即位したシクストゥス五世（在位一五八五～九〇）の戴冠式にも出席しています。

シクストゥス五世は辣腕で、教皇庁の財政を再建し、公共事業に積極投資して今日のローマ市の骨格を整備しました。ところで、一五九〇年に日本に戻った四人の少年には、過酷な運命が待ち受けていました。詳細は、前掲書「クアトロ・ラガッツィ」をご覧ください。なお、少年たちが持ち帰ったグーテンベルク印刷機により、一五九一年、日本で初めての活版印刷が行われました。

一五八七年、エリザベス一世は、逡巡したあげくに、メアリー一世・ステュアートを処刑しました。アメリカの財宝を本国へ運ぶスペイン船を略奪し、ネーデルラントやフランスのプロテスタントに支援をおくるイングランドと、スペインの対決はもはや避けられないものとなっていました。スペインに同調し、フェリペ二世の後押しを得てイングランドの王位継承権を主張するメアリー一世を、もはや生かしておくことは出来なかったのです。

翌一五八八年、フェリペ二世はついにエリザベス一世を打倒すべく、無敵艦隊（アルマダ）をリスボンからイングランドに派遣しました。直前に、スペイン海軍の父と呼ばれたサンタ・クルス侯爵（海軍提督）が急死したので、フェリペ二世は、海戦の経験が全くない大貴族（グランデ）のメディナ＝シドニア公（第七代）を総司令官に任命しました。驚愕した本人は固辞しましたが許されませんでした。身分を何よりも重視するフェリペ二世にとっては、アルマダを率いるのはグランデであるのが当然だったのです。

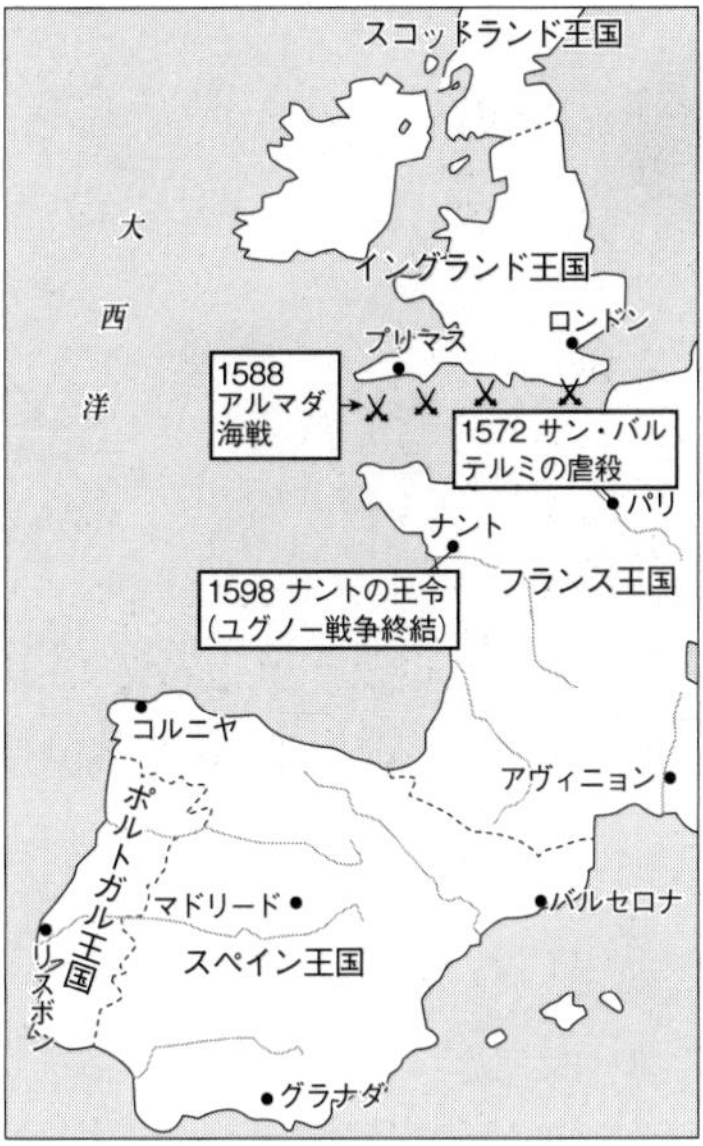

16世紀末の西ヨーロッパ

対するイングランド艦隊は、海軍卿のハワード男爵とドレークが率いました。イングランド海軍は、嵐の助けもあってアルマダを打ち破ります。スペインに逃げ帰ったアルマダは、約半数に過ぎませんでした。なお、アルマダが食料として積み込んでいた新大陸のジャガイモが、イングランドの海岸に流れ着き、やがて、イングランドの主食となっていきま

アルマダの海戦

す。

この海戦によりスペインの制海権が失われたという見方もありますが、正確ではありません。アルマダの敗戦以降も、スペイン海軍は、大西洋における制海権を確保し続けたのです。それほどの国力の差があったのです。エリザベス一世にとっては、亡国の危機を脱したに過ぎませんでした。

巨視的にみれば、おそらく、スペインの没落は、一四九二年のユダヤ人追放令から始まっていたのです。凡庸なカール五世がやらなくてもいい戦争で国庫を空にし、フェリペ二世の偏狭な政策が没落を加速しました。ヨーロッパの最先進地域であったネーデルラントが独立するに及んで、没落は決定的となりました。その後に訪れたアルマダの敗戦は、むしろ象徴的なものに過ぎなかったのです。

世にいうスペインの黄金時代は、アメリコ・カストロ（一八八五〜一九七二）が指摘したように、実際には凡庸なリーダーに率いられ紛争に明け暮れた時代に他ならず、黄金時代という

言葉は新大陸に広がる大植民地（太陽の沈まない帝国）に幻惑された虚像に過ぎませんでした。言葉の真の意味で、一六世紀はスペインの時代ではなかったのです。

✝ナントの王令

パリをリーグの傘下に収めて王位を窺うギーズ公アンリ一世は、一五八八年、アンリ三世によって暗殺されましたが、翌一五八九年には、アンリ三世もドミニコ会士の凶刃に倒れ、唯一残ったナバラ王アンリが即位して、ブルボン朝を開きました。ブルボン家は、カペー家の聖ルイ九世の支流に繋がる名門です。こうして、アンリ四世（在位～一六一〇）が誕生したのです。

アンリ４世

しかし、スペインの後ろ盾を持つリーグ（パリを含む）は、なおも抵抗を続けました。賢明なアンリ四世は、武力の行使を控え、一五九三年、プロテスタントからローマ教会に改宗し、これによってフランス国民の大多数の支持を取り付けることに成功しました。

一五九四年、シャルトルの大聖堂で戴冠式を行ったアンリ四世は、宗教戦争の終結に心血を注ぎました。サン・バルテルミの虐殺を体験したアンリ四世は、宗教戦争の愚かさを誰よりもよく理解していたのです。一五九八年、ナントの王令で、ローマ教会をフランスの国家的宗教であると宣言し、同時にプロテスタントにも同等の権利を認めました。これによって、フランスにおける宗教戦争は終結し、フランスは宗教戦争の泥沼から抜け出すことが出来たのです。

アンリ四世は、アンリ三世の妹、マルグリットと結婚していましたが、子宝に恵まれなかったこともあって、一六〇〇年、トスカーナ大公、コジモ一世の孫娘、マリー・ド・メディシスと改めて結婚しました。マリーの生涯を描いたルーベンスの一連の大画がルーブル美術館に残されています。

恋多きアンリ四世はきさくな人柄で、国民の人気を集めました。ド・ゴール将軍、ナポレオン一世、アンリ四世が、フランス国民が選ぶ国家元首のベスト三の常連だとは、よくいわれる話です。

アンリ四世は、市民生活の改善に尽力し、また、パリの再開発にも意を用いました。今に残るポン・ヌフ橋、パレ・ロワイヤル宮、ルーブル宮などは、アンリ四世の建設によるものです。歴代のフランス王の中では、おそらくフィリップ二世オーギュストに匹敵する名君でしょう。ハインリヒ・マンの大作「アンリ四世の青春」「アンリ四世の完成」が残されています。アンリ四世によって、フランス絶対王政への道が切り開かれたのです。

†コサックの台頭とロシアの混乱

一五八一年、コサックの頭領、イェルマーク（一五三二〜八五）が東方遠征を開始しました。イヴァン四世によって東方に荘園を与えられた豪族のストロガノフ家は、イェルマークに資金を提供して東方に領地を広げようと考えたのです。因みに、ビーフ・ストロガノフはこの豪族の好みの料理から生まれたとされています。コサックは、一五世紀後半にウクライナに出現した部族で、起源についてはよくわかっていませんが、スイス人と並ぶ頑健な肉体を持つとされ、軍事集団を形成していました。

東方には、ジョチ・ウルスの流れを汲むシビル・ハン国がありました。イェルマークは軍を進め、東方の地は、シビル・ハン国（一五九八年滅亡）に因んで、シベリアと呼ばれるようになりました。

一五八二年、ヤム・ザポルスキの和約が結ばれ、リヴォニア戦争は終結しました。ポーランド王、ステファン・バートリに攻め立てられたイヴァン四世は、戦争前の状態に戻すことで折り合いをつける他はありませんでした。

一五八四年、リヴォニア戦争の実質的な敗戦で気落ちしたイヴァン四世が没すると、病弱な息子、フョードル一世（在位〜一五九八）が後を継ぎましたが、実権は、義兄ボリス・ゴドゥノフの手に移りました。

ボリスは、東方教会内でのロシア教会の地位向上を目指し、一五八九年に、コンスタンティノープル総主教をはじめとしてアレクサンドリア、アンティオキア、エルサレムの総主教の了解を得てモスクワの府主教を総主教に昇格させました。

一五九一年、クリミア・ハン国のモスクワ来襲を貢税でしのいだボリスは、一五九八年、フョードル一世が子孫を残さずに没すると、大公に推挙されました（在位～一六〇五）。しかし、ロシア最初の王統であるリューリクの血筋が絶えたことは、大公位継承の正統性に対する疑念を呼び覚ましました。ボリスは、一六〇一年に有力貴族ロマノフ家の家長フョードルを強制的に出家させ、修道士フィラレートとするなど政権基盤の確立に全力を挙げましたが、モスクワ大公国は、やがてスムータと呼ばれる混乱時代を迎えることになるでしょう。

ボリス・ゴドゥノフ

†一六世紀は銀経済の時代

ところで、冒頭に述べた通り、一六世紀のヨーロッパ史は、歴史家の興味を大いにそそる対象であったようです。印刷術の発展で、ほどよい量の史料が残されているということも一因だと思われます。一五世紀以前は原史料が極端に少なく、逆に、一七世紀以降は極端に多くなるといわれています。ブローデルは大著『地中海』で、フェリペ二世のスペインとオスマン朝の対立を軸に、従来の歴史学の枠組みを超えた全体史を提示しようと試みました。

また、ウォーラーステインは、『近代世界システム』で、カール五世もフランソワ一世も、共に決定的な勝利を収めることは出来なかったことにヒントを得て、世界＝帝国の時代（世界経済は必ず帝国に転換）は去り、一六世紀に成立した世界＝経済（史的システムとしての近代資本主義は、交易に伴って技術が普及し政治的統一の欲求をむしろ中和、抑制すると考えたのです）が、世界システムの根幹を成しており、世界は中心—半周辺—周辺の三層構造として理解すべきであるという壮大なフレームを提示しました。また、ヘゲモニーの基礎は、生産→商業→金融という順序で、形成、解体される、としました。どちらの著作も従来の西欧史の枠をはみ出るものではないという批判が寄せられてはいますが、少なくとも、部分ではなく世界の全体を捉えようとした雄図は、高く評価されて然るべきでしょう。グローバル・ヒストリーが生まれようとしていたのです。

一六〇〇年の世界のＧＤＰシェアは、概ね、次頁の図表の通りです。

一六〇〇年、明では、銀の流入によりマネーサプライが高水準で推移し、景徳鎮では万暦赤

1600年の世界のGDPシェア（単位：%）

明	29.2
ムガール朝等インド	22.6
フランス	4.7
イタリア各国	3.9
ドイツ	3.8
スペイン（含アメリカ）	3.4
イングランド	1.8
ロシア（モスクワ大公国など）	3.5
オスマン朝	9.4
サファヴィー朝	5.6
日本	2.9

絵と称される名品が作られていました。中国は、文化的には、ようやく大元ウルスの盛時に戻りつつあったのです。しかし、万暦帝の失政に加えて朝鮮出兵等で財政が破綻し、過酷な徴税に対して、各地で反乱が続出していました。東北地方では、ヌルハチが着々と基盤を固めていたのです。

インドでは、ムガール朝のアクバル大帝がデカン高原のアフマドナガル王国を攻略、南方にも版図を拡げていましたが、反抗的な王太子サリームとの仲はしっくりしませんでした。名君は、必ずといっていいほど、後継者選びで苦労しています。おそらく、父親があまりにも優秀だと息子は劣等感に苛まれ、反抗的になったり自暴自棄に陥ったりするのでしょう。

イスタンブルでは、オスマン朝の第一三代スルターン、メフメト三世（在位一五九五～一六〇三）が怠惰な毎日をおくっていましたが、政治は老練な大宰相、ダマト・イブラヒム・パシャ（一五一七～一六〇一）が切り盛りしていたので、帝国の権勢には揺るぎが生じませんでした。オスマン朝の領土は、この頃、まだ史上最大規模を維持していたのです。

サファヴィー朝では、名君、アッバース一世（大帝。在位一五八八〜一六二九）が、一五九八年に遷都したばかりの新都、エスファハーンの建設に情熱を注いでいました。やがてエスファハーンは「世界の半分」と称される華麗な都へと変貌を遂げるでしょう。

以上が、一六〇〇年の世界の四大国の概況であって、その合計GDPは、実に世界の七割近くに達していました。ヨーロッパは、まだ世界の辺境にすぎなかったのです。

世間では、「大航海時代」といったきらびやかな名称に惑わされてヨーロッパに焦点を当てて一六世紀の歴史を語る人が後を絶ちませんが、僕自身は、大航海時代という名称自体に違和感を持っています。ドレークの旗艦は三〇〇トンでしたが、一五世紀初めにインド洋に浮かんだ鄭和艦隊の旗艦、宝船は少なくとも一二〇〇トン以上はあったと考えられています。実は、大航海時代という名称自体が、日本の歴史学会で生まれた和製造語に過ぎないのです。一六世紀は、間違いなく、アジアの四大帝国の世紀でした。

宗教戦争をいち早く終結させたフランスでは、アンリ四世が、新婦マリー・ド・メディシスの懐妊を待ち望んでいました。一六〇一年には、嫡男ルイ一三世が誕生するでしょう。

スペインでは、一五九八年、エル・エスコリアル僧院に籠って政務をこなしていたフェリペ二世が没しました。フェリペ二世は、書類王と陰口を叩かれたほど外出を厭い書類の決裁に明け暮れていました。治世の間に四回もバンカロータ（国庫破産宣言）を行っています。

病弱なフェリペ三世（在位〜一六二一）が跡を継ぎましたが、実権は宰相、レルマ公爵の手に移っていました。フェリペ三世の母親アナは、オーストリアの神聖ローマ皇帝マクシミリアン二世（在位一五六四〜七六）の娘で、フェリペ二世の姪にあたります。フェリペ三世は、ローマ教皇から赦免状を貰って実現した叔姪婚で生まれた子どもだったのです。

　この後、ハプスブルク家は近親婚を繰り返していきますが、その理由は、カール五世以来フランスと敵対したこと、フェリペ二世がポルトガル王位を兼ねたこと、それに加えてハプスブルク家の気位の高さや、偏狭な宗教政策があげられます。ヨーロッパの王室の多くはプロテスタントになびき、ローマ教会に残ったのは、フランス王家、ポルトガル王家、両ハプスブルク家ぐらいのものでした。その結果、近親婚を繰り返す羽目に陥ったのです。当然、生まれた子どもは病弱で、いずれ、スペインのハプスブルク家はそのために滅んでいくでしょう。

　イングランドでは、年老いた処女王、エリザベス一世の治政下で、ウィリアム・シェイクスピア（一五六四〜一六一六）が創作に耽っていました。ちょうどハムレットを書き上げた頃です。そして、一六〇〇年の一二月三一日、ロンドンで、東インド会社が設立されました。これは、香辛料などのアジア貿易の独占権を認められた勅許会社でした。

　ローマでは、教皇クレメンス八世（在位一五九二〜一六〇五）の下で、無限宇宙論を唱えてコペルニクスを擁護した哲学者、ジョルダーノ・ブルーノ（一五四八〜一六〇〇）が火刑に処せ

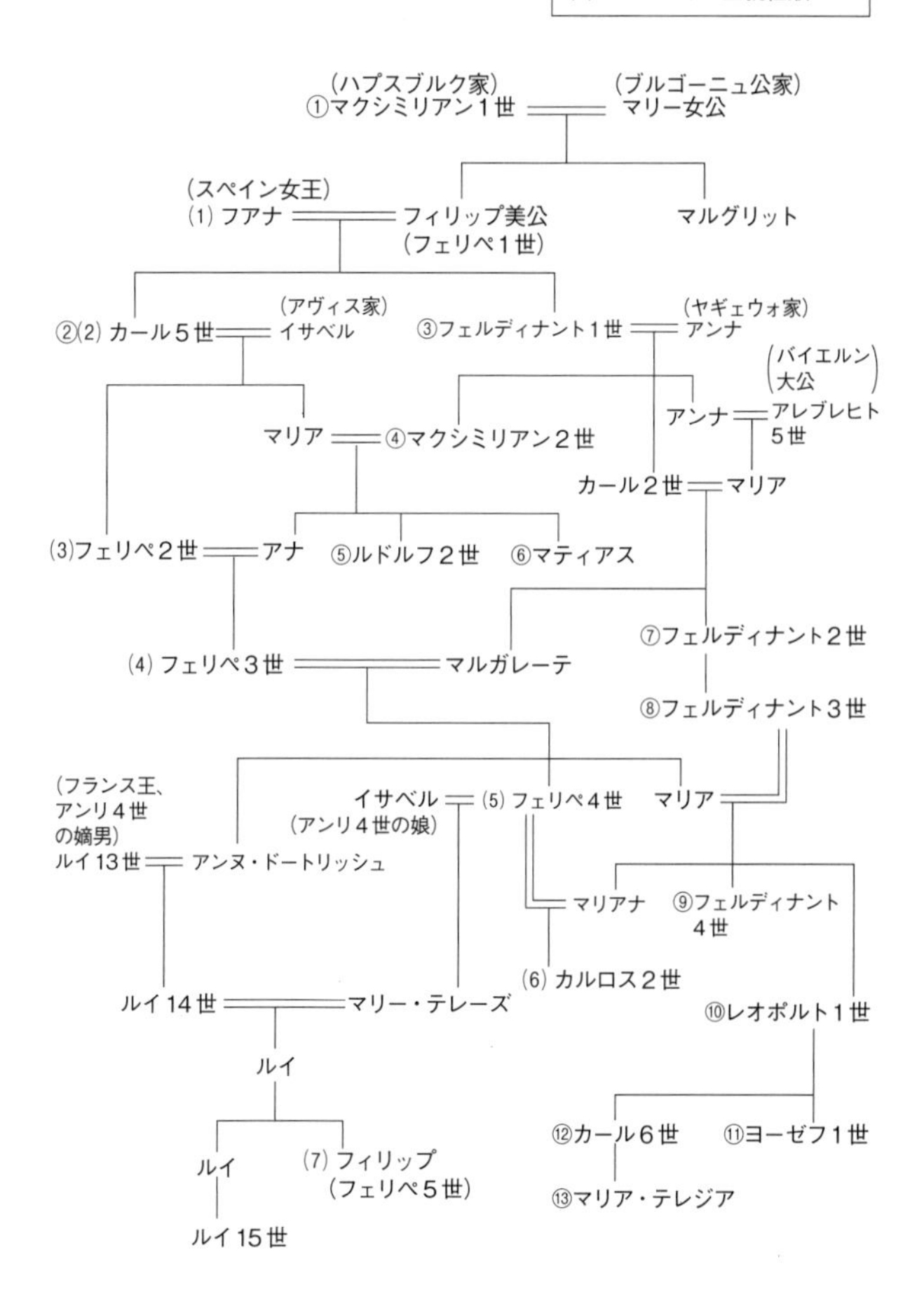

ハプスブルク家の近親婚

られました。この事件は、自由な批判精神が横溢したイタリア・ルネサンスの終幕を告げるものとされています。なお一五九九年には建築家のドメニコ・フォンターナ（一五四三〜一六〇七）がポンペイの遺跡を発見しています。ただし、本格的にポンペイが発掘されるのは一五〇年後のことになります。

日本では関ケ原の戦いが行われ、徳川家康率いる東軍（豊臣秀吉の子飼い大名のうち武断派が中心）が、石田三成の西軍（豊臣秀吉の子飼い大名のうち文治派が中心）を破りました。日本の覇権は、徳川家康の手に渡ることになったのです。

第十章

第五千年紀前半の世界、その2
一七世紀の世界（一六〇一年から一七〇〇年まで）

一七世紀は、小氷期（Little Ice Age。一四世紀半ばから一九世紀半ばまで）の中でも寒冷化が進んだ世紀で、一六世紀に比べると景気は下降気味、デフレ基調で推移しました。アンガス・マディソンの推計（中央値）によると、一五〇〇年の世界人口が四三八百万人、一六〇〇年が五五六（＋一一八）百万人、一七〇〇年が六〇三（＋四七）百万人となっています。一〇〇年の間に増えた人口が前世紀の半分以下であったことからも、「一七世紀の危機」がよくわかります。

世界は、引き続きアジアの四大帝国の時代でした。オスマン朝は世紀を通して最大領土をほぼ守り抜き、サファヴィー朝は世紀前半に最盛期を迎えて首都のエスファハーンは「世界の半分」と形容されました。世紀中盤には、ムガール朝が最盛期を迎えました。世界遺産のタージ・マハルが建設された時代です。中国では明が滅んで清が建国されましたが、世紀後半にかけて中国史上屈指の名君、康熙帝が登場して国力を充実させていきます。

これに対してヨーロッパでは経済の中心が大西洋沿岸に移り、かつての主軸であった地中海からアルプス越えの世界（イタリア、ドイツ、すなわち神聖ローマ帝国の世界）が凋落するとともに、ドイツを中心に宗教戦争が荒れ狂いました。

アンリ四世の英断によりいち早く宗教戦争の泥沼から抜け出したフランスは、リシュリュー、マザランと名宰相が続き、ルイ一四世の絶対王政の準備を整えます。イングランドでは、三王

エスファハーンの風景（パスカル・コステ画）

国戦争（清教徒革命）と名誉革命を通じて、プロテスタントが最終的な勝利を収め、議会政治の確立が図られました。ドイツは、三〇年戦争の舞台となり、スペインや神聖ローマ帝国が没落していきます。スペインから独立したネーデルラントは東南アジア貿易をほぼ独占し、また、三〇年戦争に勝利したスウェーデンは、バルト帝国を築いて、それぞれ、繁栄を謳歌（おうか）しました。ロシアではロマノフ朝が成立しました。ロマノフ朝はシベリアに進出し領土的には最広域国となりましたが、まだ大国にはほど遠い状況でした。

一七世紀のヨーロッパでは、科学革命が起こりました。ニュートンや、ガリレオ、ケプラーなどが活躍し、相互に検証可能な方法を広く提示することによって自説の正しさを証明するという科学的な方法が確立されました。

(1) 三〇年戦争と三王国戦争

†ステュアート朝とロマノフ朝の誕生

イングランドに遅れること二年、ネーデルラントでも一六〇二年に、東インド会社（～一七九九）が設立されました。これは、世界初の株式会社でしたが、喜望峰以東における条約締結権、交戦権、植民地経営権などを有しており、国家に近い権能を持つ極めて特殊な会社でした。当時の通信技術では、本国にいちいち承認を求める時間的余裕がなかったのです。取締役会メンバーは出資額に応じて各州が一七人の代表を選出しました（一七人会）。また、東インド会社の設立と同時期に、世界初の常設の証券取引所であるアムステルダム証券取引所が設置されています。同じ一六〇二年、ムスリムともいわれる陽明学左派の思想家、李卓吾（一五二七～一六〇二）が獄中で自殺、著書は禁書となりました。李卓吾は童心説を唱えました。即ち生まれたままの自然状態に還（かえ）れと主張したのです。これが、修身を尊ぶ当時の正統教学、朱子学や支配階級、士大夫の在り方を真っ向から批判したものと受け止められたのです。

一六〇三年、エリザベス一世が没し、イングランドの王位は、遺言で、スコットランド王ジェームズ六世（メアリー・ステュアートの遺児）に委ねられました。ステュアート朝、ジェームズ一世（在位～一六二五）の誕生です。新しい国王は、王権神授説の信奉者で、イングランドの議会の伝統とは相容れませんでした。王妃アンが浪費家であったこともあって、議会との関係は気まずいものになりました。ジェームズ一世は、イングランド国教会の典礼で用いる聖書の標準訳を求めました。これが欽定訳聖書（一六一一）で、ティンダルの訳業を引き継いでいます。

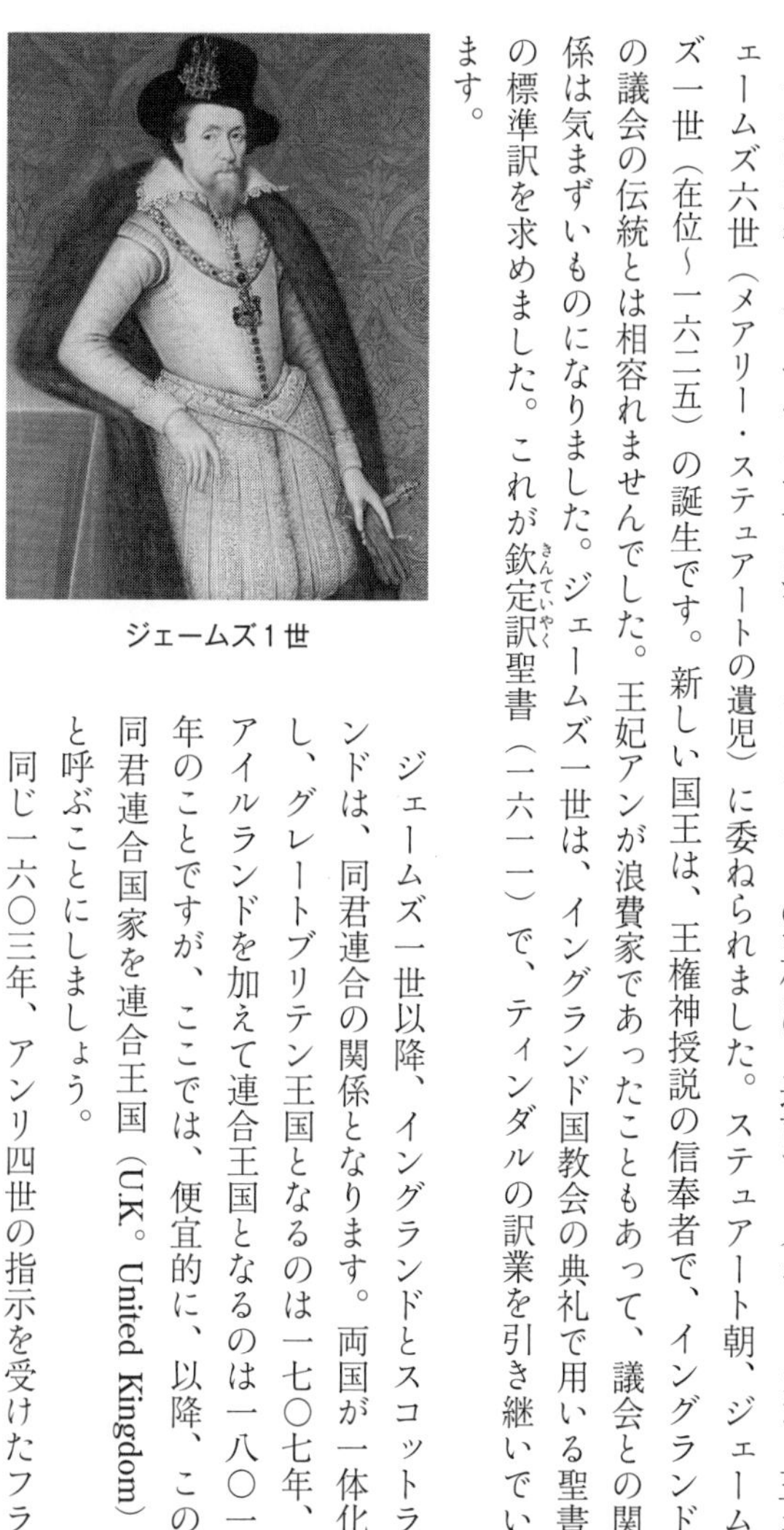

ジェームズ1世

ジェームズ一世以降、イングランドとスコットランドは、同君連合の関係となります。両国が一体化し、グレートブリテン王国となるのは一七〇七年、アイルランドを加えて連合王国となるのは一八〇一年のことですが、ここでは、便宜的に、以降、この同君連合国家を連合王国（U.K.。United Kingdom）と呼ぶことにしましょう。

同じ一六〇三年、アンリ四世の指示を受けたフラ

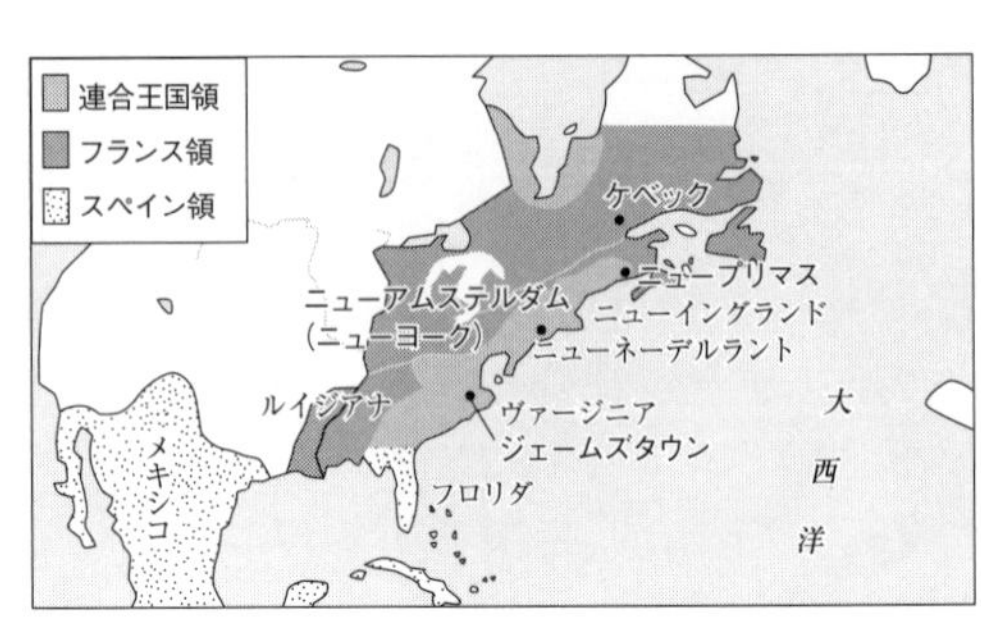

17世紀の北アメリカにおける植民地

ンスのサミュエル・ド・シャンプラン（一五六七～一六三五）が新大陸のケベックに上陸、以後一一回の探検を重ねることになります。ケベック・シティーを築き、ケベックにフランスの植民地を形成（一六〇八）したシャンプランは、「ヌーヴェル・フランス（新しいフランス）の父」といわれています。

ロシアでは、一六〇一年から三年にかけて人口の三分の一が失われたといわれる大飢饉が生じ、ゴドゥノフ家の求心力は低下する一方でした。一六〇五年にボリス・ゴドゥノフが急死すると、息子のフョードル二世が後を継ぎましたが、ポーランドの支援を受けた偽ドミトリー（ドミトリーはイヴァン四世の末子で一五九一年に事故死しています）を担いだ反ゴドゥノフ派がモスクワになだれ込み、フョードル二世は殺されました。しかし、偽ドミトリー一世の政権は一年も持たず、リューリクの血を引く大貴族出身のヴァシーリー四世（在位一六〇六～一〇）に簒奪されました。

当時のポーランドはステファン・バートリの後を継いだヴァーサ家（スウェーデン）出身のジグムント三世（在位一五八七～一六三二）の時代でした。ジグムント三世は一五九二年にスウエーデンの王位にも就きますが、熱心なローマ教会信者だったのでプロテスタント貴族の反対を受けて一五九九年には王位を追われました。ヴァーサ家は、ポーランド王家とスウェーデン王家に分裂したのです（一七六頁の系図参照）。スウェーデン王家はグスタフ一世の末子であるカール九世（摂政在位一五九九〜一六〇四、王在位一六〇四〜一一）が継ぎました。そして、これ以来両者は厳しく対立するようになったのです。クラクフからワルシャワに遷都し（一五九六）、ロシアに目を転じたジグムント三世は一六〇五年にロシアと戦争を始め（ロシア・ポーランド戦争）、一六一〇年にはモスクワを占領して、ヴァシーリー四世を捕虜にしました。モスクワ大公国は首都を占領され、大公のいない空位時代（一六一〇〜一三）に入りました。ロシアは混迷を深めていきます。この苦難の時代はスムータ（動乱時代）と呼ばれています。

ジグムント3世

一六〇五年、セルバンテスの「ドン・キホーテ」（第一部）が刊行されました。しばらく後に、ティルソ・デ・モリーナ（一五七九〜一六四八）の「セヴィージャの色事師（ドン・ファン）と石の招客」が登場します。一七世紀初頭に、ハムレット、ドン・キホーテ、ドン・ファンが揃って造形されたのです。この三名で、人間の男性の類型はほぼ語り尽せる、という意見もあります。

アジアに目を転じると、一六〇五年にアクバル大帝没、太子サリームが第四代ジャハーンギール（在位～一六二七）として即位しました。同じ一六〇五年、ネーデルラント東インド会社は、モルッカ諸島の基地、アンボイナ城塞をポルトガルから奪いました。やがて、ネーデルラントは香料貿易を独占（～一八六三）することになるでしょう。一六〇六年には、ネーデルラント東インド会社のウィレム・ヤンツ（一五七〇～一六三〇）が初めてオーストラリア北部に到達。しかし、熱帯の気候を恐れて植民しませんでした。因みに、タスマニア島、ニュージーランド、フィジーへ最初に到達したヨーロッパ人も、ネーデルラント東インド会社のアベル・タスマン（一六〇三～五九）です。

一六〇七年、連合王国のロンドン植民会社が、北アメリカ、ヴァージニアのジェームズタウンに初の恒久的植民地を建設しました。

一六〇九年には、スペイン・ネーデルラント間で休戦条約が締結され、スペインは、ネーデルラントの独立を事実上承認しました。同じ一六〇九年、フェリペ三世は、モリスコ（小さなムーア人の意味、キリスト教に改宗したイスラーム教徒）追放令を出します。モリスコはスペインの農業の担い手でした。スペインは、血の純潔規定を盾に、さらに愚かしい出血政策を続けることになります。

同じ一六〇九年、ネーデルラントの法学者で「国際法の父」と称されたフーゴー・グローティウス（一五八三〜一六四五）の「自由海論」が刊行されています。また、アジアへの近道を探っていたネーデルラント東インド会社に雇われたイングランド人、ヘンリー・ハドソン（生年不詳〜一六一一）が同じ一六〇九年に、ニューアムステルダム（ニューヨーク）を発見しました。ニューヨークを流れるハドソン川は彼に由来する名です。

一六一〇年、アンリ四世は、熱狂的な旧教徒によって暗殺されました。残された王太子（ルイ一三世）は、まだ九歳であり、母后、マリー・ド・メディシスが摂政（〜一六一七）を務めることになりました。マリーは一六一四年にブロワで三部会を開きますが、これ以降一七八九年まで三部会が開かれることはなくなり、その機能は高等法院が果たすようになっていきます。

ミハイル・ロマノフ

ところで、ポーランド軍にモスクワを占領されたロシアでは、一六一一年に、クジマー・ミーニン（生年不詳〜一六一六）とドミートリー・ポジャールスキー（一五七七〜一六四二）の率いる国民軍が蜂起して、一六一二年には、ポーランド軍をモスクワから追い払いました。翌一六一三年、全国会議によ

ポカホンタス

って、リューリク朝の外戚、病弱で一六歳のミハイル・ロマノフ（在位～一六四五）が大公に選ばれ、ロマノフ朝が開始されました。一六一八年には、デウリノの和約で一六〇五年から続いていたロシア・ポーランド戦争が終わり、ポーランドはスモレンスクを得て、その領土は史上最大となりました。一六一九年には父、フィラレートがポーランドから帰国しモスクワ総主教となって権力を掌握、三三年に没するまで、フィラレート時代を築きました。

一三世紀から一四世紀にかけて、モンゴル・ウルスがほぼ統一に成功したユーラシアは、明、ムガール朝、サファヴィー朝、オスマン朝、ロマノフ朝という五つの大帝国に分割されることになったのです。なお、ロマノフ朝が、正式にロシア帝国と称するのは、ピョートル大帝の時代、一七二一年のことになります。

一六一二年、ヴァージニアのジェームズタウンでは、ジョン・ロルフ（一五八五～一六二二）が、タバコの生産に成功、ロルフは、インディアンのポウハタン族の娘で、先住民と植民者の間を取り持ったポカホンタス（キリスト教を受容）と一六一四年に結婚し、先住民との融和の象徴となりました。しかし、インディアンの土地を侵略していく白人入植者との軋轢は止まず、一六二二年にはポウハタン族によるジェームズタウンの虐殺事件が起きました。

一六一五年、日本では、大坂夏の陣で豊臣氏が滅び徳川家康の覇権が確定しました。

一六一六年、イスタンブルで、アフメト一世（在位一六〇三～一七）がブルーモスク（スルターン・アフメト・モスク。世界遺産）を完成させます。また同じ一六一六年、ネーデルラントのジーゲンにヨーロッパ初の陸軍士官学校が設立されました。設立者のナッサウ＝ジーゲン伯ヨハン七世（一五六一～一六二三）は、ネーデルラント独立戦争を指導した一人です。小国ネーデルラントが大国スペインを打ち破ったのは、歩兵、騎兵、砲兵からなる軍制改革にいちはやく手をつけたためであるとされています。一六二〇年に、ヨハン七世はやがて「北方の獅子」と呼ばれることになるスウェーデン王グスタフ二世アドルフ（在位一六一一～三二）の訪問を受けました。グスタフ二世アドルフは自国の軍制改革に強い興味を抱いていたのです。

†三〇年戦争

イエズス会の頑なな教育を受けて育ったハプスブルク家のフェルディナント二世（神聖ローマ皇帝。在位一六一九～三七）は、一六一七年、ボヘミア王になると、前皇帝ルドルフ二世や皇帝マティアス（在位一六一二～一九）のプロテスタントに対する宥和（ゆうわ）政策を変更しました。

一六一八年、第二次プラハ窓外（そうがい）放出事件が起こります。一四一九年にフス派がローマ教会派のプラハ市参事会員を市庁舎の窓から突き落とした事件があり、それがフス戦争の引き金になりましたが、今回はプロテスタント勢力が国王の代官たちをプラハ城の窓から突き落としたのです。

これがきっかけとなって、三〇年戦争が始まりました。ボヘミアのプロテスタントが、フェルディナント二世の弾圧に抗して立ち上がったのです。プロテスタントのプファルツ選帝侯フリードリヒ五世（在位一六一〇～二三）も呼応しました。ボヘミアのプロテスタントは、フリードリヒ五世をボヘミア王に推戴して戦ったので、この戦争は、ボヘミア・プファルツ戦争と呼ばれています。同じ一六一八年、ブランデンブルク選帝侯、ヨーハン・ジギスムント（在位一六〇八～一九）は、プロイセン公国を相続し、ホーエンツォレルン家の所領は倍増しました。

フェルディナント2世

ボヘミア・プファルツ戦争は、一六二〇年の白山（ビーラー・ホラ）の戦いで皇帝軍が勝利を収め、厳しい戦後処理によってボヘミアのプロテスタント勢力は壊滅しました。ドイツ語が強制されチェコ語は公用語ではなくなりました。チェコの人々は、暗黒時代が始まったと総括しています。ボヘミア・プファルツ戦争は一六二三年に終結しました。

それにしても、フェルディナント二世もそうですが、ハプスブルク家は、カール五世から、フランツ・ヨーゼフ一世に至るまで、おしなべて頑迷暗愚な君主が続き、英邁な君主を全く輩出していません。フランス王家ならフィリップ二世オーギュスト、アンリ四世、イングランド王家ならヘンリー五世、エリザベス一世などたちどころに何人かの名前があがるのですが。これは、世界史の不思議の一つといっていいでしょう。

信仰の旅に出るピルグリム・ファーザーズ

一六一九年、ネーデルラント東インド会社、第四代総督のヤン・ピーテルスゾーン・クーン（在位一六一九～二三、二七～二九）は、ジャワ島西部のイスラーム国家、バンテン王国（一五二七～一八一三）と戦って勝利を収め、租借した地にバタヴィア城（現ジャカルタ）を築いて東インド会社のアジアにおける本拠地としました。そして、スマトラ島のパレンバンにも商館を開きました。

ヴァレンシュタイン

一六二〇年、ジェームズ一世の専制を嫌ったピルグリム・ファーザーズ一〇二人が、信仰の自由を求めてメイフラワー号で新大陸のニュー・プリマスに到着しました。アメリカ合衆国の建国神話がスタートしたのです。ピルグリム・ファーザーズはカルヴァン派で、ピューリタン（清教徒）と呼ばれていました。そして、早くも一六三六年には、新大陸の指導者を養成すべく、ハーヴァード大学が創設されました。

一六二三年、アンボイナ事件が勃発。モルッカ諸島アンボイナ島の連合王国東インド会社の商館をネーデルラントの東インド会社が襲い、日本人を含む全員を殺害しました。これにより連合王国の勢力はモルッカ諸島より一掃されました。同じ一六二三年、ノルウェーのオスロ西部の山脈で銀鉱が発見され、一五二四年以来同君連合によりノルウェーを実質支配していたデンマーク王、クリスチャン四世（在位一五八八～一六四八）の大きな財源となりました。国内で絶対王政を確立し、コペンハーゲンに多くの城館を建設、領土の拡大を狙っていたクリスチャン四世は、一六二五年、プロテスタントの保護を口実に、ドイツに侵入しました。

連合王国やネーデルラントは、資金援助を約束、スペインは当然のこととしてフェルディナント二世を支援したので、三〇年戦争は、第二幕に入り、国際紛争の様相を呈してきました。この戦争をデンマーク戦争と呼んでいます。皇帝軍は有名な傭兵隊長、アルブレヒト・フォ

17世紀ヨーロッパ各地における紛争と和解

ン・ヴァレンシュタイン（一五八三～一六三四）を抜擢（ばってき）して勝利を収め、デンマーク戦争は一六二九年に終結しました。

一六二五年、連合王国では、スチュアート朝、第二代のチャールズ一世が即位しました（在位～一六四九）。チャールズ一世も王権神授説により専制政治を行ったので、議会は一六二八年に「権利の請願」を可決しました。チャールズ一世は、課税の承認と引き換えにやむなく権利の請願を承認しましたが、翌年には議会を解散して

親政を開始しました。

一六二八年、スペインは経済危機に見舞われ、平価を五〇％切り下げました。

一六三〇年、「北方の獅子」、スウェーデン王グスタフ二世アドルフが、プロテスタントの保護を口実にドイツに侵入しました。三〇年戦争の第三幕、スウェーデン戦争が始まったのです。

グスタフ二世アドルフは、ゴート主義（スウェーデン普遍主義）の信奉者でした。その昔、ヨーロッパに侵入したゴート人がヨーロッパ、アジア、アフリカを支配したといわれる伝説です。彼は、ハプスブルク家の帝冠をも視野に収めていたのです。グスタフ二世アドルフは、即位以来、軍制を改革して絶対王政を確立し、苦戦を重ねながらもデンマーク、ポーランド、ロシアを次々と撃破し、バルト帝国の基礎を築いた名君でした。

一六二〇年にヨーロッパ初の徴兵制を導入したスウェーデン軍は精強であり、その背後にはフランスがいました。ルイ一三世の絶対の信頼を得た宰相リシュリュー（在位一六二四～四二）は、ローマ教会の枢機卿（すうききょう）の身でありながら国益を優先させ、ブルボン朝の敵はハプスブルク家であると狙い定めていたのです。リシュリューは早くも一六二四年に反ハプスブルク同盟であるハーグ同盟をデンマーク、スウェーデンや連合王国などと結んでいます。クリスチャン四世がデンマーク戦争に乗り出したのも、実は、ハーグ同盟という後ろ盾があったればこそ、でした。

勇猛なグスタフ二世アドルフは、ザクセン選帝侯など新教連合（ユニオン）諸侯と連合し、連戦連勝を重ねました。一六三〇年から始まったマクデブルクの戦いにおける神聖ローマ皇帝軍の蛮行は、北ドイツの人々のスウェーデン軍への協力を高めました。一六三一年には、フランスと軍事同盟（ベールヴァルデ条約）を個別に締結しています。

窮地に立ったフェルディナント二世は、デンマーク戦争で皇帝軍総司令官を務めたヴァレンシュタインを再び呼び戻しました。ヴァレンシュタインは、国際的な資本家から資金を調達し、占領地の軍税で返還することにより、膨大な軍勢を掌握していたのです。ヴァレンシュタインには、バイエルン大公など旧教連盟（リーグ）諸侯が加担しました。

グスタフ2世アドルフ

一六三二年、両雄は、リュッツェンの戦いに臨み、グスタフ二世は戦死しましたが、国王を失ったスウェーデン軍は勇猛心を発揮し、皇帝軍は敗走しました。ストックホルムには、六歳のクリスティーナ女王（在位一六三二～五四）が残されました。しかし、名宰相、アクセル・オクセンシェルナ（一五八三～一六五四）は、ドイツの新教派諸侯とハイルブロン同盟を結成して一歩も引きま

ベルニーニ設計のサン・ピエトロ広場（ローマ）

せんでした。

一六三三年、教皇ウルバヌス八世（在位一六二三〜四四）は、天体観測に望遠鏡を導入した天文学者、ガリレオ・ガリレイ（一五六四〜一六四二）に宗教裁判で地動説を撤回させました。ガリレオが、「それでも地球は動く」と呟いたというエピソードが後に創作されます。

ガリレオの同時代人、ヨハネス・ケプラー（一五七一〜一六三〇）は、天体の運行に関わるケプラーの法則を唱え、宇宙物理学の祖となりました。二人の往復書簡が残されていますが、学問一筋で純朴なケプラーに対して、ガリレオはかなり狷介な人物であったようです。

ウルバヌス八世は、建築家ジャン・ロレンツォ・ベルニーニ（一五九八〜一六八〇）のパトロンとなり、ニコラ・プッサン（一五九四〜一六六五）やクロード・ロラン（一六〇〇〜八二）をローマに招いて、反宗教改革のショーウィンドウとしてのローマの荘厳に努めました。この時代をレオ一〇世の時代に次ぐ第二のローマ・ルネサンスと呼ぶ人もいます。

ローマは、一五二七年にカール五世の軍隊による略奪（ローマ劫掠（ごうりゃく））を受けて衰退しましたが、シクストゥス五世が再開発に着手し、「ローマのために生まれた」バロック芸術の巨匠、ベルニーニの手によって再び上昇気流に乗ることが出来たのです。

一六三四年、フェルディナント二世の信頼を失ったヴァレンシュタインは、皇帝によって暗殺されました。最後の大傭兵隊長の死によって、傭兵の時代は黄昏（たそがれ）を迎えることになりました。

スウェーデン戦争は一六三五年に一旦終結しましたが、リシュリューは、疲弊したハプスブルク家を叩く好機と捉え、改めてスウェーデンと同盟し、ドイツ、スペイン攻撃に踏み切りました。三〇年戦争の最終幕、フランス・スウェーデン戦争が始まったのです。なお、一六三五年にはリシュリューがアカデミー・フランセーズを創設しています。

一六三七年、偏狭な宗教政策により、三〇年戦争のきっかけをつくったフェルディナント二世が没し、息子のフェルディナント三世（在位〜一六五七）が跡を継ぎましたが、局面を打開する力量は示せませんでした。

同じ一六三七年、近代哲学の父、ルネ・デカルト（一五九六〜一六五〇）の「方法序説」が刊行されました。文中の「我思う、ゆえに我あり（Je pense, donc je suis）」は哲学史上、最も有名な命題の一つとなりました。またこの年には、記録に残された最初の投機バブルであるチューリップ・バブルがネーデルラントで発生しました。オスマン朝からもたらされたチューリップの球根に、一時は職人の年収の一〇倍を超える値段がつけられたといわれています。ただし、当時のデータは不確かなものが多く、現在ではチューリップ・バブルを過大視することには慎重な見方が大勢を占めています。

デカルト

†スペイン絵画の栄光

一六三九年、連合王国のチャールズ一世は、カンタベリー大主教ウィリアム・ロード（一五七三〜一六四五）の献策に従い、スコットランド教会にイングランド国教会の諸儀式を適用しようとして頑強な抵抗に遭いました（主教戦争）。

チャールズ一世は、一六四〇年に主教戦争の戦費調達のため議会を召集しましたが、下院の指導者ジョン・ピム（一五八四〜一六四三）は、苦情のカタログと呼ばれた弾劾演説を行い、議会はわずか三週間で解散させられました（短期議会）。しかし、財政難には勝てず、チャールズ一世は、再度議会を召集せざるを得ませんでした。この議会は、一六五三年まで続いたので、長期議会と呼ばれています。

スペインでは善良なフェリペ四世（在位一六二一～六五）の時代が続いていました。三〇年戦争に加担したスペインは財政難に苦しみ、寵臣で有能なオリバーレス伯爵（ガスパール・デ・グスマン。一五八七～一六四五）が必死に構造改革に取り組みましたが、既得権益を持つ大貴族（グランデ）の厚い壁は打ち破れませんでした。

対フランス戦争の最前線に立たされたカタルーニャでは、一六四〇年に収穫に使われる鎌を武器にした農民反乱が生じ、やがて大規模な反乱へと繋がっていきます（収穫人戦争。～一六五九）。

この反乱鎮圧にポルトガル兵が使われたことなどもあって同じ一六四〇年にリスボンでも火の手が上がり（王政復古戦争）、アヴィス朝の初代ジョアン一世の庶子の家系である第八代ブラガンサ公がジョアン四世（在位～一六五六）として即位、ポルトガルはスペインからの独立を回復しました。気丈な王妃ルイサは、スペインに奉仕するより自ら統治者たれとジョアン四世を励ましたと伝えられています（一一五頁の系図参照）。なおルイサはアルマダを指揮したメディナ＝シドニア公の孫娘にあたります。

ベラスケス画「ラス・メニーナス」

ジョアン四世の死後、王位は障害を持つ子どものアフォンソ六世（在位一六五六～八三）に引き継がれます。スペインはポルトガルに攻め入りますが、ルイサは摂政として一三八六年に結ばれたイングランドとの同盟（ウィンザー条約。現在まで続く世界最古の二国間同盟）に則りイングランドの支援を得てスペイン軍を退けました。スペインはイベリア連合（同君連合）を諦め、一六六八年のリスボン条約でポルトガルの独立を承認しました。

政治的な力量には乏しかったフェリペ四世ですが、その治下では「スペイン黄金時代絵画」と呼ばれる芸術が花開きました。祖父のフェリペ二世は絵画好きで、ティツィアーノを招き、また意外に思われるかもしれませんが幻想的で怪異な画風で有名なフランドルのヒエロニムス・ボス（一四五〇頃～一五一六）のコレクターでもありました。ボスの傑作がプラド美術館に多く所蔵されているのはフェリペ二世のおかげです。

クレタ島生まれの後期マニエリスム（バロック移行期の美術）の巨匠、エル・グレコ（一五四一～一六一四）もフェリペ二世の同時代人でした。黄金時代絵画を代表するのは、「画家の中の画家」、ディエゴ・ベラスケス（一五九九～一六六〇）です。代表作の「ラス・メニーナス」は、皆さんも見覚えがあるでしょう。フェリペ四世夫妻も登場していますね。

他にも、フランシスコ・デ・スルバラン（一五九八～一六六四）、ホセ・デ・リベーラ（一五九一～一六五二）、バルトロメ・エステバン・ムリーリョ（一六一七～八二）など綺羅星のごとく著名な画家がこの時代に現れました。ここでも、国力がピークをつけた後に芸術のピークが訪れるという経験則が確認できます。

一六四〇年、ネーデルラントの神学者、コルネリウス・ヤンセン（一五八五～一六三八）の遺作「アウグスティヌス」が発表されました。予定説の影響を受けたヤンセンは、救われる人間は本当に少ないと指摘し、神の恩寵と人間の自由意志の無力さを説きました。

ヤンセンの思想は、フランスに渡って、ジャンセニスムとして開花し、ブレーズ・パスカル（一六二三～六二）やジャン・ラシーヌ（一六三九～九九）など知識人階級に多大な影響を与えました。ジャンセニスムに危機感を抱いたローマ教会では、イエズス会が、ジャンセニスムに激しく対峙し、最終的に、一七一三年、クレメンス一一世（在位一七〇〇〜二一）が、ジャンセニスムを禁止しました。

†三王国戦争の始まり

一六四二年、チャールズ一世は、議会勢力が強いロンドンを嫌ってヨークに宮廷を移し、ノッティンガムで議会側に対して挙兵しました。第一次イングランド内戦が始まったのです。

同じ一六四二年、比類なきフランスの大宰相リシュリューが没しました。しかし、リシュリューは、一人のイタリア人を後継者に指名していました。ジュール・マザラン枢機卿（一六〇二〜六一）です。翌一六四三年、ルイ一三世も没し、五歳のルイ一四世（在位〜一七一五）が即位しました。母后アンヌ・ドートリッシュが摂政となりましたが、宰相マザランが国家の屋台骨をしっかりと支えていました。リシュリューの眼鏡は決して曇ってはいなかったのです。

同じ一六四三年、スウェーデンが強国として突出することを恐れたデンマークのクリスチャン四世と、デンマークを弱体化させバルト海の覇権を確かなものとしたいスウェーデンが戦端を開きました（〜一六四五）。スウェーデンの将軍、レンナート・トルステンソン（一六〇三〜五一）は、三〇年戦争を戦っていたモラヴィアから長駆北上してユトランド半島を制圧しました。この戦争をトルステンソン戦争と呼んでいますが、その迅速な行動は、かのハンニバルに準（なぞら）えられました。敗れたデンマークはバルト海の覇権をスウェーデンに奪われる結果となりました。

三〇年戦争は、フランス・スウェーデン連合が優勢な中で、一六四四年より、講和会議が北ドイツ、ウェストファリア地方の二都市（ミュンスター、オスナブリュック）で始まりました。

一六四六年、チャールズ一世は議会軍に敗れてスコットランドに逃亡しましたが、その後、議会側に引き渡され、イングランドの第一次内戦は終結しました。議会側では、鉄騎隊の隊長でニューモデル軍（国民軍の嚆矢（こうし））を組織して勝利に貢献したピューリタンのオリバー・クロムウェル（一五九九～一六五八）の活躍が目立ちました。一六四八年、チャールズ一世は脱走し、イングランドでは第二次内戦が生じましたが、今度は、始めから議会側が圧倒し、チャールズ一世は再び囚われの身となりました。

クロムウェル

議会側は、長老派（立憲君主派）、独立派（制限選挙による共和派）、水平派（普通選挙による共和派）に分かれていましたが、独立派の指導者、クロムウェルは、多数派の長老派を追放（ニューモデル軍のプライド大佐がパージ）して、チャールズ一世を裁判にかけ、翌一六四九年に、チャールズ一世を処刑して、連合王国に初の共和政をもたらしました（～一六六〇）。

なお、長老派を追放した後の長期議会をランプ議会（臀部議会）と呼んでいます。チャールズ一世の死刑執行令状にサインしたランプ議会の五九名の委員はレジサイド（王殺し）と呼ばれ、ブラックリストの走りとなりました。

以前は、これを清教徒革命と呼んでいましたが、この一連の騒動は宗教だけではなく、議会の在り方や、三王国（イングランド、スコットランド、アイルランド）の在り方を巡っての争いであり、今日では三王国戦争という呼び名が一般的になっています。

期間は、主教戦争（一六三九）から王政復古（一六六〇）までの約二〇年間を指すとする見方が一般的です。

†ウェストファリア条約

一六四八年、三〇年戦争が、ウェストファリア条約（ミュンスター条約、オスナブリュック条約を総称した講和条約）によって終結しました。神聖ローマ帝国の死亡診断書、などといわれるこの条約で、フランスはアルザスを得て絶対王政へと歩みを進め、スウェーデンも、西ポンメルンなどドイツに領土を得て、バルト帝国の成立を確かなものとしました。ネーデルラント（連邦共和国）とスイス（盟約者団）の独立が国際的に承認され、ルター派だけではなく、カル

「ミュンスターにおけるウェストファリア条約締結の儀」ヘラルド・テル・ボルフ画

ヴァン派も承認されました。

神聖ローマ帝国では、各諸侯の領土主権が認められ（三〇〇余の領邦諸国の連合体が神聖ローマ帝国）、皇帝の権限は、実質的にはハプスブルク家の所領（オーストリア）に限られるようになりました。ただし、家領に専念することによって、かえってオーストリアの強大化が図られる結果となったという見方もあります。デンマークも弱体化し、スペインは、ほぼ完全に没落しました。ただし、フランスとスペインの戦争は終わらず、一六五九年のピレネー条約まで続きます。この条約でルイ一四世と、フェリペ四世の娘であるマリー・テレーズの結婚が決まりました。

また、国家主権の絶対性と国家主権の平

等原則が国際法として確立したことも、この条約の大きな特徴です。アメリカのブッシュ元大統領のイラク攻撃が、ウェストファリア体制への挑戦である、などといわれるのは、正当な手続き、即ち、国連決議を経ずして、イラクの国家主権を侵し、国家を転覆させたからです。

この三〇年戦争でドイツは荒廃し人口が激減したといわれてきましたが、最近の研究成果によると、どうやらドイツ全体としてはさしたる人口の減少はなかったようです。断続的に戦われ、かつ主戦場が一定しなかったこと、傭兵中心で総力戦ではなかったことなどがその理由として挙げられています。

(2) 大清グルンの成立と明の滅亡

†満洲族の自立と日本の鎖国

一六〇一年、ヌルハチは八旗制度を創設しました。これは満洲族の社会・軍事組織で、成年男子三〇〇人をニル（矢）、五ニルをジャラン（一五〇〇人）、五ジャランをグサ（七五〇〇人）

として編成、八つのグサは、それぞれの旗（黄、白、紅、藍の四正旗と、それぞれに鑲と呼ばれる縁取りをつけた四鑲旗）で識別されたので、八旗制度と呼ばれるようになったのです。八旗の総兵力は六万人となりました。ヌルハチは、自ら鑲黄旗と正黄旗のリーダーとなりました。後に、漢人八旗、蒙古八旗も作られるようになります。

同じ一六〇一年、イエズス会の宣教師、イタリア人マテオ・リッチ（一五五二～一六一〇）が、万暦帝の宮廷に入ることに成功しました。天正遣欧使節を企画したヴァリニャーノの薫陶を受け、順応政策を理解したマテオ・リッチは、中国人になりきっており、万暦帝を驚かせました。

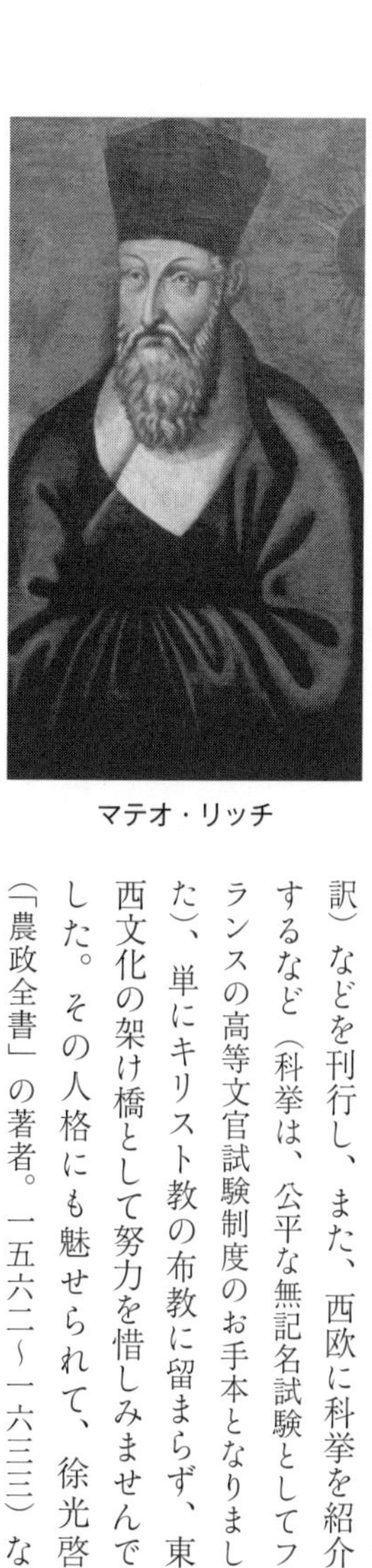

マテオ・リッチ

マテオ・リッチは、「坤輿万国全図」（世界地図）や「幾何原本」（ユークリッド幾何学の漢文訳）などを刊行し、また、西欧に科挙を紹介するなど（科挙は、公平な無記名試験としてフランスの高等文官試験制度のお手本となりました）、単にキリスト教の布教に留まらず、東西文化の架け橋として努力を惜しみませんでした。その人格にも魅せられて、徐光啓（「農政全書」の著者。一五六二～一六三三）など多くの知識人がキリスト教に改宗しました。中国の帰納法的な思考スタイルにとって、宣教師の演繹的な思考法が新鮮に映ったことは想像に難くありません。ヴァリニャーノやマテオ・リッチは、東アジアの先進国（中国や日本）では、ローマ教会の論理を押し付けるだけでは通らないことを、十分、認識していたのです。

一六〇三年、徳川家康が、江戸に幕府を開きました。一六〇四年、明では、政府に直言して下野を余儀なくされた朱子学者、顧憲成（一五五〇〜一六一二）が、故郷の無錫で宋代に二程子に学んだ楊時（一〇五三〜一一三五）が開いた東林書院を復建しました。ここに拠ったグループを東林党と呼びます。彼らは、救世救国の実践的意欲が強く、個人に重きを置いた陽明学風の観念論を排しました。東林党は、実学を得るべく宣教師とも交流を図りました。同じ一六〇四年、家康は、秀吉に倣って朱印船貿易を開始しました。

「朱印船貿易」 秀吉や家康の朱印状（海外渡航許可証）を得て行われた海外貿易で、鎖国完成の一六三五年まで、長崎から、三五〇隻以上が、ベトナム、タイ、マレーシア、フィリピン、台湾などに渡航しました。タイのアユタヤやルソンには日本人町が築かれ（山田長政が有名）、豪商や大名、在日外国人などが、朱印船貿易に従事しました。乗組員も、中国人、西欧人などを含め、多国籍でした。輸入品は、中国の生糸や絹、輸出品は、銀が中心でした。

つまり、明が海禁政策を採り、日本との交易を禁じていたので、東南アジアの港で、朱印船と中国船が交易を行うことになったのです。当時、わが国の絹製品の質は、中国産には遠く及びませんでした。鎖国完成後、中国など諸外国との交易は、①長崎ルート、②朝鮮―対馬藩ルート、③琉球―薩摩藩ルート、④アイヌ―松前藩ルートの四つに絞られましたが、徳川政権と清は、外交関係がなかったので、いずれも私貿易でした。

一六一五年、家康は秀吉の子、豊臣秀頼を滅ぼしました（大坂夏の陣）。これによって、一五〇年ほど続いた戦乱の世は収束しました。行き場を失った戦争エネルギーは、東南アジアに向けて噴出されました。タイのアユタヤの日本人町の頭領となった山田長政（一五九〇頃～一六三〇）が、その典型です。山田長政は、アユタヤ朝への軍事的貢献を評価されて、タイの官位制度（バンダーサック）の三位のプラヤーを与えられました。山田長政は、日本ではほぼ無名の人物でした。そのような人物が実力で外国の高官に伸し上がったのです。戦国の世に鍛えられた日本人は逞しく成長していました。

一六一六年、ヌルハチは、生まれ故郷のヘトゥアラで明からの独立を宣言、カアン位に就き、国号を金（後金）と定めました。またモンゴル文字を改良した満洲文字をつくらせました。一六一九年、ヌルハチは、四方から進撃してきた明・朝鮮の大軍に夜襲（サルフの戦い）をかけ

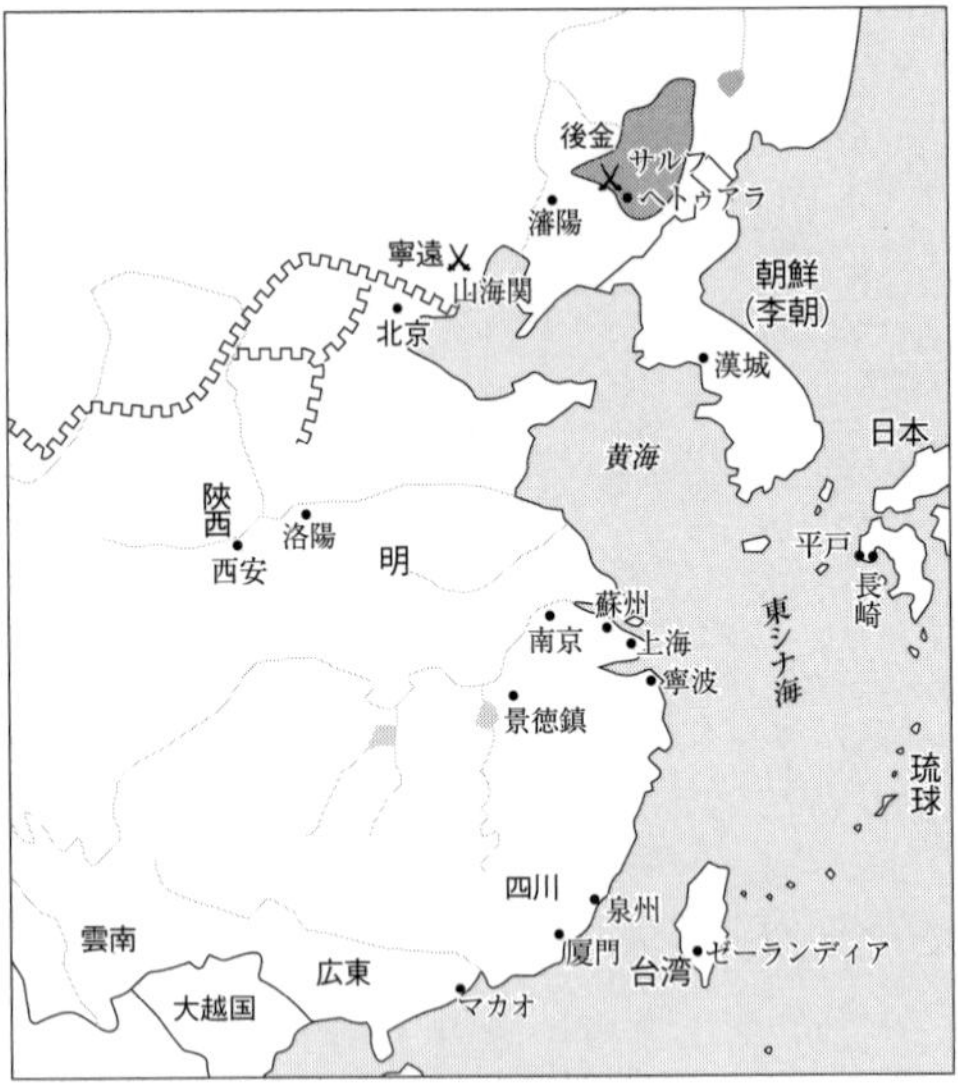

17世紀の中国

て打ち破りました。満洲族は自立を果たしたのです。一六二〇年、ヌルハチは瀋陽を落とし、やがて首都を瀋陽に移します（一六二五）。

一六二四年、ネーデルラントの東インド会社が、明軍と戦火を交え、台湾の南部を占領しました。そして、ゼーランディア城を現在の台南に築いて根拠地としました。以降、三七年間にわたって東インド会社が台湾の南部を支配することになります。同じ一六二四年、アラビア半島南東部のオマーンでヤアーリバ朝（～一七二〇）が建国されました。オマーンの中心都市マスカットは、一五〇八年以来ポルトガルによって占領されていましたが、ヤアーリバ朝は、連合王国の東インド会社と通商協定を結び一六五〇年にはマスカットからポルトガル勢力を追放して全土を統一しました。その後、ヤアーリバ朝はマスカットを拠点に東アフリカ・スワヒリ海岸のポルトガル植民地を襲って占領、一七世紀末にはオマーンからザンジバルに至る海洋帝国を築くことになります。

一六二五年、年若い天啓帝（在位一六二〇〜二七）の下で、権力を握った宦官、魏忠賢（一五六八〜一六二七）は、頻発する農民反乱を尻目に、東林党に対する大弾圧を開始しました。東林書院は閉鎖されます。賄賂を好んだ魏忠賢は権勢を恣にし、民衆に九千歳と叫ばせたと伝えられています（万歳は天子にのみ使用されました）。

ヌルハチは、ほぼ東北地方を制圧しましたが、一六二六年、寧遠の戦いで、孔明に準えられた明の名将、袁崇煥（一五八四〜一六三〇）に紅夷砲（ポルトガルの大砲）で撃退され、その一連の戦いの中で背中に受けた傷がもとで、死亡しました。その跡は、ホンタイジ（在位一六二六〜四三）が継ぎました。

一六二七年、明の最後の皇帝、第一七代崇禎帝（天啓帝の弟。在位〜一六四四）が即位しました。崇禎帝は、魏忠賢を自殺させ、親政に乗り出しましたが、一六二八年、大旱魃の陝西で農民反乱が勃発しました。その中に、李自成（一六〇六〜四五）がいたのです。

同じ一六二八年、ムガール朝では、第五代、シャー・ジャハーンが即位しました（在位〜一六五八）。ムガール朝は極盛期を迎えることになります。イランのミニアチュールの影響を受けたムガール絵画も黄金時代を現出します。一六三一年に死去した愛妃、ムムターズ・マハルのために造られた霊廟が有名なタージ・マハル（世界遺産）です。一六三二年に建設が始まったタージ・マハルは一六五三年に完成しました。

シャー・ジャハーン

一六二九年、後金軍は、袁崇煥が守っている万里の長城を避けてモンゴリア経由で北京に迫ろうとしました。ホンタイジはスパイを使って袁崇煥が反逆者であるかのような噂を流します。猜疑心の強い崇禎帝はいとも簡単にその噂を信じ、北京の救援に赴いた名将、袁崇煥を逮捕して、翌年、処刑してしまいました。明は、末期症状を呈していたのです。

同じ一六二九年、蘇州で復社（文社と呼ばれる科挙受験者の勉強会の一つ）が成立しました。東林書院で確立した講学という思想形成のスタイルは、復社に受け継がれました。復社は発展し、全国的なネットワークと二〇〇〇人のメンバーを擁するようになりましたが、明の滅亡に際して多くのメンバーが反清活動に参画し、自然解体しました。

一六三五年、徳川家光は、外国船の入港を、長崎、平戸に限定し、日本人の海外渡航及び帰国を禁じました。日本の大きな転機となった鎖国令です。東南アジアなどの日本人町は元を断たれて立ち枯れし、世界と遮断された日本は、歩みを止めることになりました。織田信長の死から、わずか五〇余年、何という変わり様でしょう。

こうして、世界の歩みから取り残された日本は太平の眠りにつき、幕末のリーダー達は、二〇〇年余の遅れを取り戻そうと、開国・富国・強兵策に躍起になることになるのです。ちょうどこの頃、日本の銀山は枯渇し、世界商品であった日本の銀は姿を消そうとしていました。世界商品がなくなった日本に興味を持つ国（や商人）は、ありませんでした。だからこそ、愚かな鎖国が実行できたのです。

†大清グルンの成立

ホンタイジ

一六三五年、帰順したダヤン・カアンの直系で北元（モンゴル帝国）最後の皇帝、エジェイ・カアン（在位一六三四〜三五）から大元ウルスの玉璽（ぎょくじ）を譲られたホンタイジは、一六三六年、満洲族、漢族、モンゴル族から推戴を受けて皇帝を称し、国号を大清グルン（以下清と略称します）と改めました。ホンタイジは、満洲族のリーダーであり、中華帝国の皇帝であり、草原の遊牧民の大カアンとして即位したのです。清の皇帝は、後には、チベット仏教の大施主ともなりました。清の皇帝は、このように四つの顔を持っていたのです。即ち、清は実態的には四重帝国だったのです。一六三六年、書画に優れた業績を残した董其昌（とうきしょう）（一五五五～）没。芸林百世の師と呼ばれ、後世の文人画に大きな影響を与えました。その書を、康熙帝が敬愛したことでも有名です。

一六三七年、ホンタイジは、朝鮮を完全に服属させました。明は、ヌルハチやホンタイジとの交易を禁じていたため（経済封鎖）、清にとって朝鮮は交易により必要な物資を明から手に入れるための生命線だったのです。

同じ一六三七年、天草・島原の一揆が起こりました。一揆は、翌年に鎮圧されましたが、キリスト教徒、天草四郎を首領とした農民反乱の手強さに、徳川政権は恐怖しました。一六四〇年、幕府は、宗門改役を設け、毎年、キリシタンでないことを（即ち、檀家（だんか）であることを）当該寺院に申告させました。民衆は、寺院（土地）に縛りつけられ、檀家制により生活の心配がなくなった仏教は、葬式仏教に堕していきました。

こうした徳川政権の圧殺により、一七世紀初めには信徒数六五万人という驚異的な伸張を示したキリスト教は、息の根を止められたのです。因みに、総人口が四～五倍となった現在の日本では、ローマ教会五〇万人、プロテスタント三〇万人、東方教会三万人といわれています。

徳川幕府は、日本の歴史の上では、おそらく最も退嬰的な政権でしょう。封建制を敷き大名間の交流を禁じたので、飢饉に際して物資の移送が迅速に行えず、数百万人単位の大量の餓死者を出しました。また、日本人の平均身長と平均体重を比較してみると、現代が最高で（次は、大陸から大量の人々が流れ込んできた古代です）、江戸時代後期が最低となります。GDPの世界シェアは、鎖国の間に半減以下に落ち込みました。どのように修飾しようとも、国を閉じて民を貧しくさせ、市民に窮乏を強いた政権を擁護することはできないと思います。

不運も重なりました。鎖国の間に、人類史上最高のイノベーションである国民国家（ネーションステイト）と産業革命が生じたからです。鎖国をしていた日本が追いつくことは不可能でした。結果として、徳川政権二五〇年の間に、日本は世界に大きく引き離されてしまったのです。一六三八年、ホンタイジは、理藩院を設けました。これは、満洲と中国本土以外の諸藩部の行政を統括することになる官署で、当面は内モンゴルがその対象でした。

ホンタイジは南下を繰り返しましたが、東北地方と明の境にある山海関をどうしても抜けず、一六四三年に急死しました。その跡を継いだ順治帝（在位～一六六一）はわずか六歳だったので、叔父の睿親王ドルゴン（ヌルハチの子。一六一二～五〇）が摂政となり、やがて全権を掌握しました。同じ一六四三年、ロシア人のクーバット・イワノフ（生年不詳～一六六六）がバイカル湖に到達しています。

ポタラ宮（チベット・ラサ）

一方、中国の反乱軍の中では、厳正な軍紀で知られた李自成軍が有力となり、一六四一年に洛陽、一六四三年には西安を攻略し順という国を建てて北伐を開始、一六四四年についに北京を落として明を滅ぼしました。崇禎帝は紫禁城の北にある景山で首を吊って自殺しました。

これを知った明の武将、呉三桂（一六一二～七八）は、ドルゴンと講和し、それまで守っていた山海関を開いて清軍を引き入れ共に北京を目指しました。李自成は、四〇日天下で北京を追われ、順治帝は、北京で改めて即位しました。秦の始皇帝以来、連綿と続いてきた中国の最後の帝国、清が誕生したのです。なお、呉三桂が寝返った理由としては、北京に残してきた傾城の美女、陳円円（一六二三～九五）が李自成軍に奪われたためとする説が巷間に広く流布していますが、真相は不明です。順と清を天秤にかけた結果、清を選んだことだけは確かです。

同じ頃、チベットでは、オイラトの族長トゥルバイフ（グシ・ハン（一五八二〜一六五四）がチベットに遠征し、ダライ・ラマ五世（在位一六四二〜八二）を擁立してグシ・ハン朝（一六四二〜一七一七）を建てました。トゥルバイフは、チンギスの血統ではありませんでしたが、ダライ・ラマ五世によってハン位を与えられたのです。これによって、ラサを首都とするダライ・ラマ政権（ガンデンポタン）の地位は劇的に向上し、一六四五年、ポタラ宮殿の建設が始まりました（完成は一六九五）。ポタラとは観音菩薩が降臨する補陀落（ふだらく）に由来します。

辮髪

ダライ・ラマ五世は、パンチェン・ラマ制を始めるなど内部固めに専念、軍を握るグシ・ハンは、中国本土が混乱している間に、青海地方にも勢力を拡げました。

明の皇族は、清朝に対して各地で抵抗を続けました。明の皇族によって華中や華南に建てられた四代の地方政権を南明（一六四四〜六一）と呼んでいます。特に、一六四五年に敵味方を区別するためにドルゴンが出した薙髪（ちはつ）令（髪型を満洲族のスタイルである辮髪（べんぱつ）に統一）は、中国の民族感情を痛く刺激しました。

海商（倭寇）の鄭芝龍（一六〇四〜六一）は、一六三九年、ポルトガル人が日本から締め出されると（鎖国の完成）、中国産絹製品の日本への輸出をほぼ一手に収め、強固な財政基盤を固めました。そして、抵抗軍に身を投じましたが、南明の将来を悲観して清軍に投降しました。

しかし、平戸藩士の娘（田川マツ）を母とし平戸で生れた息子、鄭成功（国姓爺。一六二四〜六二）は、父と袂を分かち一六五〇年に厦門を占拠するなど抵抗を続けました。鄭成功は、南明二代の隆武帝から明の国姓である朱を称することを許されたことから国姓爺と呼ばれています。

順治帝

同じ一六五〇年、ドルゴンが没すると、一三歳の順治帝は親政を始めましたが、順治帝は、儒教、仏教、キリスト教に通じる大変な知識人であり、宦官の政治への関与を厳しく制限するなど、優れた天稟を示し始めました。一六五二年には北京に招聘したダライ・ラマ五世に接見し、一六五三年にダライ・ラマ五世を「西天大善自在仏」に封じて清朝の冊封体制の中に取り込みました。

順治帝は、鄭成功などの海上反清活動を封鎖するために、一六五六年に海禁令を強化しました。これに対して鄭成功は一六五八年に北伐軍を興しますが、翌年、南京で大敗を喫します。清軍は、一六五九年に昆明を占領し、南明の四代永暦帝をミャンマーに追い払って、中国を再統一し、清に降(くだ)った明の三将軍に雲南、広東、四川（後に福建）への駐留を命じました（呉三桂は雲南王、尚可喜は広東王、耿仲明(こうちゅうめい)は靖南王）。これが、いわゆる清初の三藩の成立です。名君、順治帝は、一六六一年、天然痘に罹(かか)って急逝しました。まだ、二四歳の若さでした。

八歳の康熙帝（在位～一七二二）が跡を継ぎましたが、オボイら四人の元老が合議制で政権を運営することになりました。創業の時代に幼帝が二代続いた清がビクともしなかったのは、ホンタイジの側妃で順治帝の生母、モンゴルのボルジギン氏（チンギスの直系で北元の国姓）出身の孝荘文皇后（ブムブタイ。一六一三～八八）が、宮廷を完全に掌握していたことが大きいと考えられています。満洲族も北方の遊牧民であって、モンゴル同様に女性の力が強かったのです。

孝荘文皇后

同じ一六六一年、清は、遷界令（～一六八

一）を出し、広東から山東にかけての沿海地域（海岸線から三〇里、約一五km）を強制的に無人化しました。海上に孤立した鄭成功は、厦門を諦め、抵抗の拠点として台湾に目をつけました。一六六一年に澎湖諸島を占領した鄭成功は、ゼーランディア城（台南市）包囲戦を始め、翌一六六二年にはゼーランディア城を陥落させて、ネーデルラント東インド会社の勢力を台湾から一掃し、鄭氏政権（一六六二～八三）を成立させました。

鄭成功

鄭成功は、開発始祖として今日の台湾でも尊敬されています（孫文、蔣介石と並ぶ三人の国神）。しかし、鄭成功は「反清復明」を果たすことなく、まもなく病没しました。なお、南明や鄭氏はたびたび（一〇回以上）日本に軍事支援を申し入れました。これを日本乞師と呼んでいますが、鎖国体制に入っていた徳川幕府は黙殺しました。鄭成功の奮闘は、近松門左衛門によって「国性爺合戦」として戯曲化され、日本でも有名になりました。

†社会契約論の萌芽

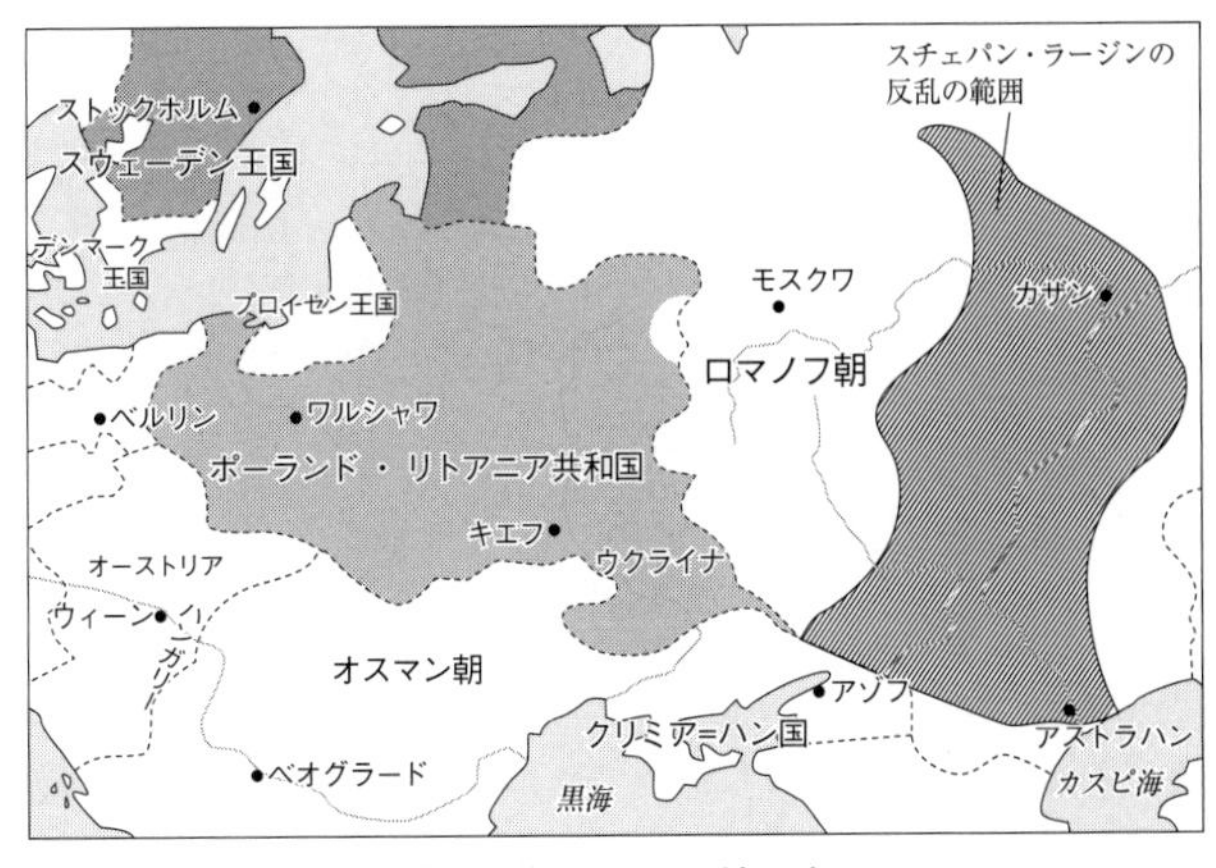

17世紀の東ヨーロッパとロシア

一六四八年、ポーランド・リトアニア共和国の治下にあったウクライナで、コサックのヘーチマン（頭領）、ボフダン・フメリニツキー（一五九五～一六五七）が反乱を起こしました。世にいうフメリニツキーの乱（ポーランド・ウクライナ戦争。一六四八～五七）です。この乱は、結果的に、ヘーチマン国家を誕生させ、それを保護国化したロマノフ朝の強大化とポーランド・リトアニア共和国の衰退を招いたので、東欧史を書き換える画期となりました。

同じ一六四八年、三〇年戦争継戦のために重税を課したマザランに反発したパリ市民や貴族がフロンドの乱（～一六五三）を起こしました。フロンドとは投石器のことで、パリの民衆がマザラン邸に投石を始めたことから、この名がつきました。貴族側は、コンデ公ルイ二世（大コンデ。一六二一～八六）を大将にパリを掌握、ルイ一四世、母后アンヌやマザランは一時パリを追われましたが、最終的にはテュレンヌ大元帥（フランス史上六名いる大元帥の一人。一六一一～七五）の活躍もあって反乱軍が敗退、絶対王政が確立する契機となりました。なお、フロンドの乱は、フランスにおける貴族の最後の反乱となりました。

一六四九年にチャールズ一世を処刑して政権の座についたクロムウェルは、急進的な水平派を弾圧し、自らの権力基盤である中産市民の権益に沿った重商主義政策を推進し始めました。連合王国の共和政（コモンウェルス）に反対したのは、ローマ教会を信奉するアイルランドとスコットランドでした。クロムウェルは一六四九年に遠征軍司令官としてアイルランドに侵攻、アイルランドは一六五二年に全島を征服され、実質上、連合王国の植民地と化しました。

一六五〇年、クロムウェルはアイルランド征服を娘婿のヘンリー・アイアトン（一六一一～五一）に託して連合王国に戻りました。一六五一年、スコットランドが、チャールズ一世の嫡男、チャールズ二世（在位一六六〇～八五）の戴冠式を旧都スクーンで強行して、第三次イングランド内戦が始まったからです。クロムウェルは、直ちにスコットランドに侵攻し、チャールズ二世を亡命に追い遣りました。

クロムウェルが王党派と戦っている間に、ランプ議会は、一六五一年に連合王国の商船隊を保護し、ネーデルラントの中継貿易に打撃を与えることを狙いとした航海条例を制定しました。これは、連合王国及び連合王国の植民地には外国船を入れないとするものでした。クロムウェル自身は、同じ共和政を採るネーデルラントと戦うことには懐疑的でした。

同じ一六五一年には、トマス・ホッブズ（一五八八〜一六七九）の「リヴァイアサン」が刊行されています。チャールズ二世の家庭教師を務めたホッブズは、万人の万人に対する戦いを終結させるための社会契約論に基づく国家（コモンウェルス）を構想し、王権神授説に代えて絶対王政を理論付けました。

ネーデルラントは、航海条例に反発しましたが、連合王国は、アジアの産品を満載して帰国するネーデルラントの商船隊を襲ったので（お家芸の略奪です）、一六五二年、両国は戦端を開きました（第一次英蘭戦争。〜一六五四）。同じ一六五二年、ヤン・ファン・リーベック（一六一九〜七七）がケープタウンに上陸、ネーデルラントはアジア交易の中継地としてケープ植民地の建設を始めました。ネーデルラントは、一六五八年にスリランカをポルトガルから奪い、アジアとの交易路を更に確かなものとしました。

一六五二年、フランスでは、一七世紀フランスの最も偉大な画家、ジョルジュ・ド・ラ・トゥールが死去しました。

一六五三年、クロムウェルとニューモデル軍幹部は言うことを聞かないランプ議会を解散させ、指名で選んだベアボーンズ議会を召集しましたがやはり機能せず、クロムウェルは、統治章典を急遽制定して、独裁的な権力を持つ護国卿に就任しました（在位一六五三〜五八）。

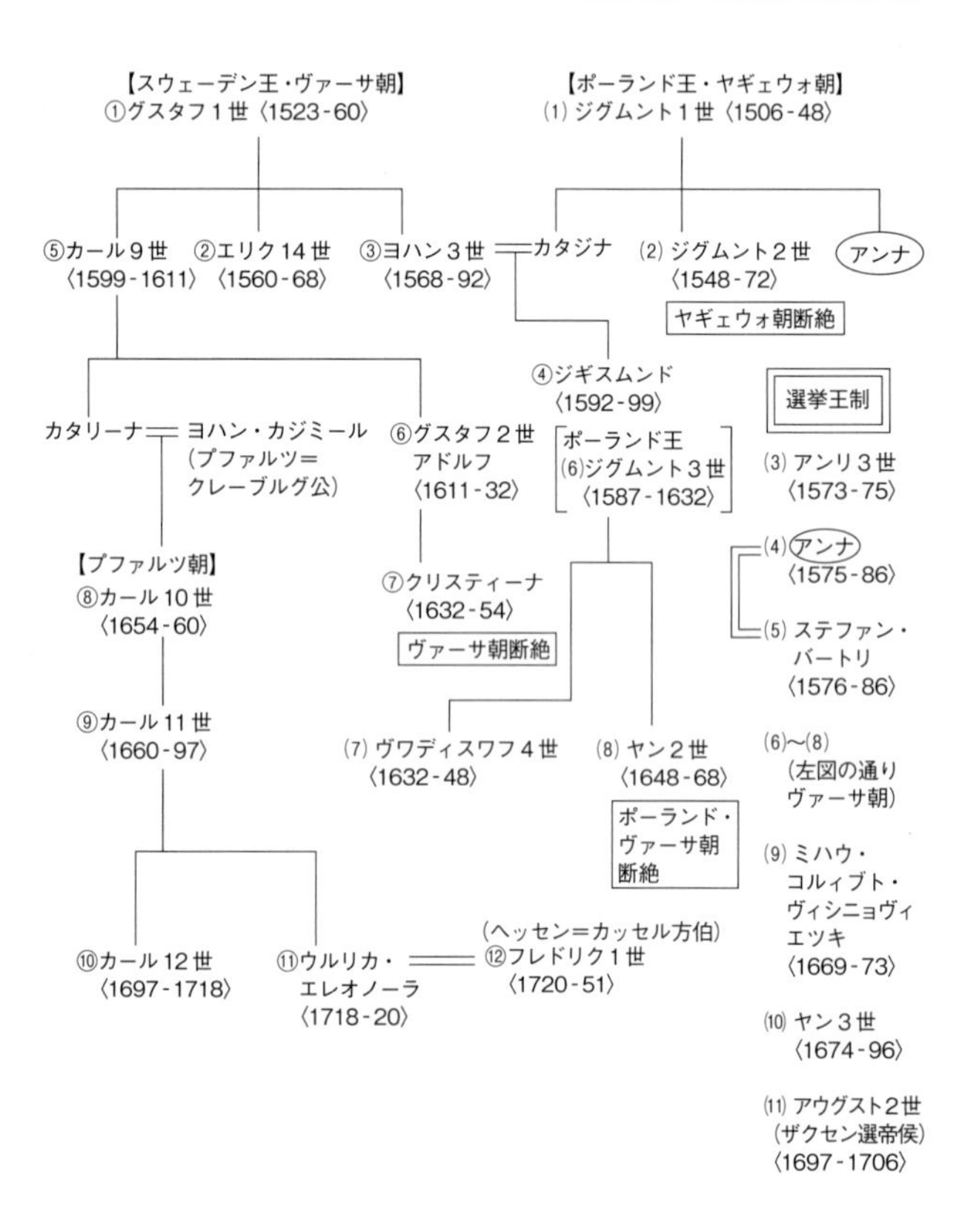
①〜 スウェーデン王位継承順
(1)〜 ポーランド王位継承順
は同一人物
〈　〉内年号は在位期間
【スウェーデン王・ヴァーサ朝】
①グスタフ１世〈1523-60〉
【ポーランド王・ヤギェウォ朝】
(1) ジグムント１世〈1506-48〉
⑤カール９世〈1599-1611〉
②エリク14世〈1560-68〉
③ヨハン３世〈1568-92〉
カタジナ
(2) ジグムント２世〈1548-72〉
アンナ
ヤギェウォ朝断絶
④ジギスムンド〈1592-99〉
選挙王制
カタリーナ
ヨハン・カジミール（プファルツ＝クレーブルグ公）
⑥グスタフ２世アドルフ〈1611-32〉
ポーランド王 (6)ジグムント３世〈1587-1632〉
(3) アンリ３世〈1573-75〉
(4) アンナ〈1575-86〉
(5) ステファン・バートリ〈1576-86〉
【プファルツ朝】
⑧カール10世〈1654-60〉
⑦クリスティーナ〈1632-54〉
ヴァーサ朝断絶
⑨カール11世〈1660-97〉
(7) ヴワディスワフ４世〈1632-48〉
(8) ヤン２世〈1648-68〉
(6)〜(8)（左図の通りヴァーサ朝）
ポーランド・ヴァーサ朝断絶
(9) ミハウ・コルィブト・ヴィシニョヴィエツキ〈1669-73〉
⑩カール12世〈1697-1718〉
⑪ウルリカ・エレオノーラ〈1718-20〉
（ヘッセン＝カッセル方伯）
⑫フレドリク１世〈1720-51〉
(10) ヤン３世〈1674-96〉
(11) アウグスト２世（ザクセン選帝侯）〈1697-1706〉

ヴァーサ朝系図

一六五四年、スウェーデンのクリスティーナ女王が、退位しました。クリスティーナはデカルトを招聘するなど、知的好奇心が旺盛な女性です。翌一六五五年、ローマ教会に帰依したクリスティーナは、ローマに移住しました。クリスティーナは独身を貫いたので、ヴァーサ朝は断絶します。その跡は、姻戚関係（カール九世の孫）にあったプファルツ家のカール一〇世（在位～一六六〇）が継ぎました。

同じ一六五四年、ロマノフ朝は、ウクライナのヘーチマン国家の保護国化をもくろみ、これに怒ったポーランドと戦争を始めました（～一六五七）。翌一六五五年、ライバルのポーランドを叩く絶好機と見たスウェーデンが、ポーランドに宣戦し、北方戦争（～六一）を始めました。両国から攻められたポーランドは、「大洪水時代（～一六六〇）」と呼ばれた未曾有の危機に直面しました。首都ワルシャワを含め国土の大半をスウェーデン軍に占拠された国王ヤン二世（在位一六四八～六八）はシレジアに亡命しました。

ジグムント三世の子どもであるヤン二世はヴァーサ家の出身でありスウェーデンの王位継承権を持っていました。クリスティーナの後を継いだプファルツ朝の

クリスティーナ（スウェーデン女王）

スウェーデンとポーランドは、宗教の違いと王位継承問題で不倶戴天の敵(かたき)となっていたのです。

バルト帝国スウェーデンの強大化を恐れたデンマークは、一六五七年、スウェーデンに宣戦を布告します。しかし、一六五八年、大寒波の中で氷結した海峡を渡ってカール一〇世率いるスウェーデン軍が氷上侵攻を敢行、コペンハーゲンは包囲されデンマークは降伏して領土を大幅にスウェーデンに割譲しました（ロスキレ条約）。

チャールズ2世

スウェーデンのポーランドでの快進撃を目の当たりにしたロシアは、ポーランドとの戦争をひとまず休止して、スウェーデンと戦端を開きます（一六五六〜五八）。また、ネーデルラントは一貫して反スウェーデンの立場を貫きました。このような周辺諸国の参戦もあって、ポーランドは亡国こそ免れたものの、二度と立ち上がれないほどの大打撃を受けました。そしてキエフを含む豊かなウクライナ左岸を手中に収めたことは、ロマノフ朝にとって、発展の契機となりました（アンドルソヴォ条約。一六六七）。ロマノフ朝第二代、アレクセイ（モスクワ大公。在位一六四五〜七六）は、一六五八年、教権の優位を主張したロシア正教のニーコン（総主教。一六〇五～八二）を辞任させ、政権の強化を図りました。

一六五八年、クロムウェルが没し、護国卿の地位は、息子のリチャード（一六二六～一七一二）が継ぎましたが、ニューモデル軍の支持を得られず、一六五九年に在任わずか八か月で辞任、スコットランド駐留軍の司令官ジョージ・マンク（一六〇八～七〇）が混乱を収拾して一六六〇年にチャールズ二世（在位～一六八五）を亡命先のネーデルラントから迎え入れ、王政復古を実現させました。

帰国前にチャールズ二世はブレダ宣言を発出して信仰の自由などを確認、議会はこれを受け入れました。共和派への報復は行われませんでしたが、レジサイド（王殺し。特にチャールズ一世の処刑にかかわった人物）は別でした。クロムウェルとアイアトン、ジョン・ブラッドショー（チャールズ一世死刑判決の裁判長）の三名は遺体を掘り起こされ、首級はウェストミンスター宮殿の屋根の端に晒（さら）されました。連合王国には、共和政が馴染まなかったのでしょう。一六五九年、フランスはアフリカのセネガルにサン＝ルイ市を建設し、アフリカ進出を開始しました。

(3) ルイ一四世と康熙帝

†重商主義時代の世界戦略

フランスでは一六六一年、宰相マザランが没し、ルイ一四世の親政が開始されました。七二年もの在位記録を持つ太陽王のグラン・シエクル(大世紀)が、本格的に始まったのです。マザランに見出された財務総監ジャン・バティスト・コルベール(一六一九~八三)が、ルイ一四世の信認のもとで二〇年以上にわたって重商主義政策を推し進め、絶対王政の確立に尽力することになります。コルベールは、選択的保護主義と輸出の振興を通じて国内生産を刺激し、貿易収支黒字、即ち貴金属を貯め込み、信用確保と戦費の調達を同時に達成しようともくろんだのです。一六〇四年にアンリ四世によって設立されたフランス東インド会社は、コルベールのもとで、一六六四年、ネーデルラントの東インド会社をお手本に抜本的に改組され活力を取り戻しました。一六七三年には、ポンディシェリを獲得してインド支配の拠点としています。

一六六二年、チャールズ二世は、ポルトガル王ジョアン四世の娘、キャサリンと結婚しましたが、持参金の中に、北アフリカのタンジールとインドのボンベイ島が含まれていました。しばらく後の一六六八年、チャールズ二世はボンベイ島を東インド会社に貸し付けます。その対岸に良港があったので、東インド会社は、一六八七年にその港を獲得して、一六三九年に入手したマドラスに次ぐインド攻略の拠点としました。

なお、キャサリンは、ローマ教会の信者だったのでイングランド国教会による戴冠を拒否し、また連合王国の宮廷に紅茶を飲む習慣を持ち込んだことで歴史に名を残しました。

一六六三年、連合王国は、海上通商面での覇権確保をさらに明瞭にし（第二次航海条例）、ネーデルラントと第二次英蘭戦争（〜一六六七）を始めました。この戦争の結果、北アメリカのニューアムステルダムが連合王国に譲渡され、王弟、ヨーク公ジェームズに因んでニューヨークと改称されました。同じ一六六三年、レオポルト一世（在位一六五八〜一七〇五）は、ハプスブルク家の神聖ローマ皇帝、レーゲンスブルクを永続的帝国議会開催地と定めました（〜一八〇六）。

コルベール

一六六六年、ロンドンを大火が襲います。これを教訓に、海上保険にヒントを得て火災保険が始まりました。この年は大事件が続発したので、アヌスミラビリス（驚異の年）と呼ばれることになりました。一六六七年にはジョン・ミルトン（一六〇八〜七四）の「失楽園」が刊行されています。一六六九年、ヴェネツィアはオスマン朝と講和して、地中海交易の要、クレタ島を放棄します。一六四五年から続いたクレタ島を巡る攻防戦（クレタ戦争）に敗北したことで、ヴェネツィアの凋落は、決定的となりました。交易の舞台が地中海から大西洋に移り、フランスやオスマン朝など大国が台頭する中で、地中海の都市国家の時代は過ぎ去ろうとしていたのです。

一六七〇年、チャールズ二世は、ルイ一四世とドーヴァー条約を結び、対ネーデルラント戦争を約束しました。同じ一六七〇年、ロマノフ朝では、コサックの国を作ろうと呼び掛けたステェパン・ラージンの反乱（〜一六七一）が起こります。ラージンは、カスピ海を渡ってペルシャに遠征するなど国境地帯で無法を繰り返していましたが、モスクワ遠征に失敗して勢力が衰え、捕縛されて処刑されました。

一六七二年、連合王国は、三たび、ネーデルラントに戦争を仕掛けました。しかし、連合王国艦隊は、第二次英蘭戦争に次いでまたしても、ネーデルラントの名将、ミヒール・デ・ロイテル提督（一六〇七〜七六）に破れ、一六七四年に戦争は終結しました（第三次英蘭戦争）。

この三次にわたる戦争でも、東南アジアにおけるネーデルラントの海上覇権には揺るぎがなかったので、連合王国は、東南アジアでネーデルラントと競争する愚を悟って、インドに経営資源を集中させることにしました。

同じ一六七二年、フランスは、連合王国と呼応して、ネーデルラントに侵入しました。ネーデルラントは、オラニエ公ウィレム三世の指導の下に、水門を開き、スペインやオーストリアのハプスブルク家などと同盟して、フランスに立ち向かいます。この戦いは、一六七八年まで続き、ナイメーヘンの和約で終結しました。ネーデルラントは全領土を保全しました。この頃が、ネーデルラントの最盛期であったのかも知れません。

ロイテル提督

レンブラント・ファン・レイン（一六〇六〜六九）やヨハネス・フェルメール（一六三二〜七五）たちが、絵画のネーデルラント黄金時代を築いていきます。一六七五年にはロンドン近郊にグリニッジ天文台が設立され、一六七六年にはデンマーク人のオーレ・レーマー（一六四四〜一七一〇）が世界で初めて光速度を算出しました。

一六七六年、ロマノフ朝では、アレクセイの後のモスクワ大公を子どものフョードル三世（在位～一六八二）が継ぎましたが、病弱で、実権は大貴族のヴァシーリー・ゴリツィン（大ゴリツィン。一六四三～一七一四）が掌握します。一六八〇年、スペインは再び通貨危機に見舞われ、平価を五〇％切り下げました。

†大トルコ戦争という転機

ルイ一四世は、王権神授説の信奉者で、ライン川を自然国境と看做して膨張政策を取り続けます。一六六一年にはヴェルサイユ宮殿の建設が始まり（宮廷が移り住むのは一六八二年）、一六七一年にはアンヴァリッド（軍病院、廃兵院）の建設が始まりました。一六八一年には、ストラスブールを占領、併合し、一六八二年には、ジャック＝ベニーニュ・ボシュエ司教（一六二七～一七〇四）が「四か条の宣言」を発表し、ガリカニスム（フランス王権による聖職者叙任権の完全掌握）を唱えて、ルイ一四世の至高権を更に高めました。

同じ一六八二年、ロベール＝カブリエ・ド・ラ・サール（一六四三～八七）がミシシッピ川からメキシコ湾までを踏破して、この地域をルイ一四世に因んでルイジアナと名づけ、領有を宣言しました。好戦的なルイ一四世に引き摺られて、ヨーロッパの各国は戦争に次ぐ戦争に明け暮れるようになります。勢いアメリカ植民地を守る軍備は縮小されます。一七世紀後半以降、カリブ海の海賊（バッカニーア）の黄金時代が到来したのです。一七世紀に活躍した著名な海賊としては、一六七一年にパナマ市を落としたヘンリー・モーガン（一六三五〜八八）、キャプテン・キッドことウィリアム・キッド（生年不詳〜一七〇一）、インド洋のヘンリー・エイヴリー（一六五九?〜九六?）らが挙げられます。

一六八二年、ロマノフ朝では、病身のイヴァン五世（在位〜一六九六）がモスクワ大公に即位しますが、異母弟で二mを超す長身のピョートル一世（在位〜一七二五）が共同統治者とされました。しかし、実権はイヴァン五世の実姉の摂政、ソフィアが握っていました。

ソフィアは愛人の大ゴリツィンと組んで政治を行い、一六八六年にはポーランドのヤン三世（在位一六七四〜九六）と永遠平和条約を結んでウクライナを分割しキエフを獲得しました。ソフィアは実質的には女帝であり、その後に続くロマノフ朝の女帝の先駆となります。

オスマン朝は、一七世紀に入ってネーデルラントなど西欧列強と同盟を結びアッバース一世（在位一五八八〜一六二九）のもとで強勢となったサファヴィー朝との戦いで苦戦を強いられ、一六二三年には一〇〇年ぶりにバグダードを奪還されました。アッバース一世は連合王国と共同して一五〇七年のアルブケルケの占領以来ポルトガルの支配下にあったホルムズも奪い返しました（一六二二）。サファヴィー朝は、全盛期を迎えたのです。首都、エスファハーンが「世界の半分」（エスファハーン・ネスフェ・ジャハーン）と呼ばれた時代が到来したのです。エスファハーンではアルメニア商人が活躍しました。

①〜④はモスクワ大公就任順
⑤以降はロシア皇帝就任順
〈　　〉内年号は在位期間

フィラレート

① ミハイル
〈1613-45〉

マリヤ・ミロスラフスカヤ ＝ ② アレクセイ〈1645-76〉 ＝ ナタリヤ・ナルイシキナ

③ フョードル3世〈1676-82〉
④ イヴァン5世〈1682-96〉
ソフィア（摂政）

エカチェリーナ
⑧ アンナ〈1730-40〉

アンナ

⑨ イヴァン6世〈1740-41〉

⑤ ピョートル1世〈1682-1725〉 ＝ ⑥ エカチェリーナ1世〈1725-27〉

アレクセイ
アンナ
⑩ エリザヴェータ〈1741-62〉

⑦ ピョートル2世〈1727-30〉

⑪ ピョートル3世〈1762〉 ＝ ⑫ エカチェリーナ2世〈1762-96〉

⑬ パーヴェル1世〈1796-1801〉

⑭ アレクサンドル1世〈1801-25〉
⑮ ニコライ1世〈1825-55〉

⑯ アレクサンドル2世〈1855-81〉

⑰ アレクサンドル3世〈1881-94〉

⑱ ニコライ2世〈1894-1917〉

ロマノフ朝系図

オスマン朝では、謹厳で煙草やコーヒーを禁止したムラト四世（在位一六二三～四〇）が、アッバース一世の死後、一六三八年にイラクを奪い返し、サファヴィー朝は緩やかな衰退に向かいます。こうしてオスマン朝の東部国境は安定しました。

メフメト四世（在位一六四八～八七）が位に就くと、アルバニアに出自を持つ貴族のキョプリュリュ家を登用、一六五六年にキョプリュリュ・メフメト・パシャを大宰相に任じました。一六六一年にはその子のキョプリュリュ・アフメト・パシャを大宰相に任じましたが、父子で大宰相を世襲したのはこれが初めてのことでした。この人事はうまくいき、この時代にオスマン朝の領土は史上最大となりました（一六七二年に西ウクライナのポジーリャを占領）。一六七六年には、義弟のカラ・ムスタファ・パシャが大宰相を継ぎました。この三代の時代をキョプリュリュ時代と呼んでいます。

一六八三年、ハンガリー西部で起こった神聖ローマ皇帝、レオポルト一世に対する貴族、テケリ・イムレ（一六五七～一七〇五）の反乱（陰でルイ一四世が支援）を、オーストリア攻略の好機とみたカラ・ムスタファ・パシャは、大軍を率いてスレイマン一世以来一五〇年ぶりにウィーンを包囲しましたが、フランス生まれのオイゲン公（プリンツ・オイゲン。実父はルイ一四世との噂があります。一六六三～一七三六）などの活躍もあって占領に失敗、さらに援軍を率いてきたポーランドのヤン三世に急襲されて敗退し、包囲を解きました。カラ・ムスタファ・パ

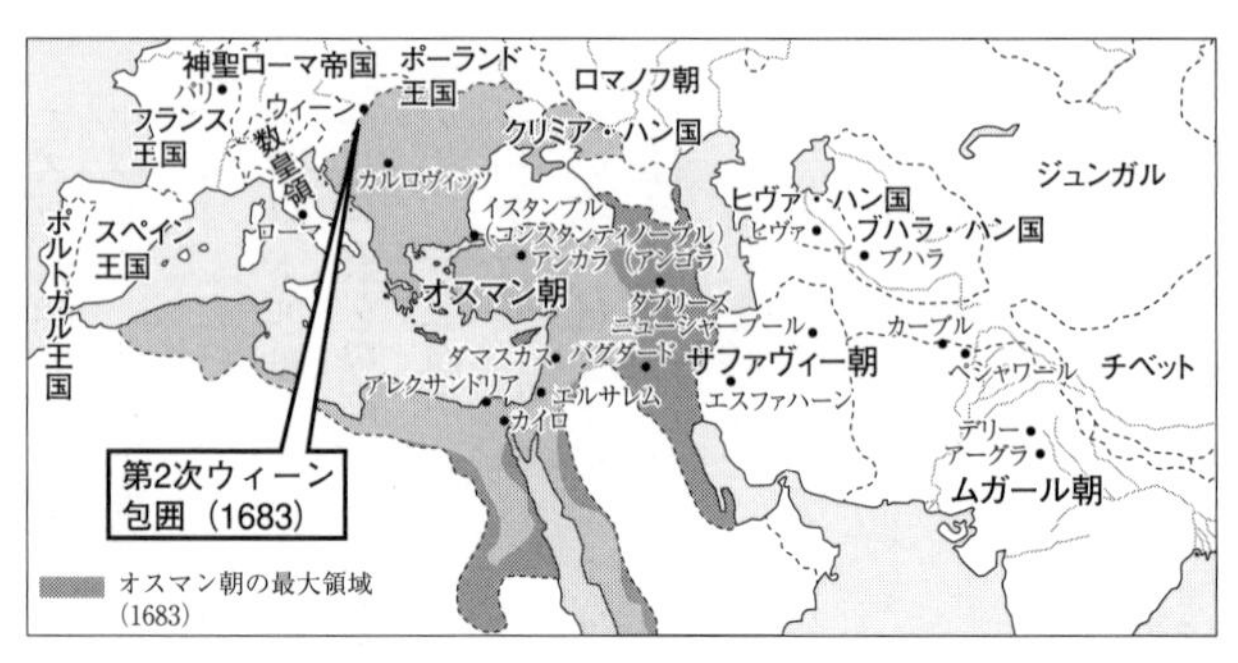

オスマン朝の侵攻

シャは、敗戦の責任を問われてベオグラードで処刑されました。

指揮官を失ったオスマン軍は敗退を重ねるようになります。翌一六八四年には、ローマ教皇インノケンティウス一一世（在位一六七六〜八九）の提唱で神聖同盟が結ばれ、神聖ローマ帝国、ポーランド、ヴェネツィアが対オスマン朝で足並みを揃えます。一六八六年にはロマノフ朝も参加しました。こうしてオスマン軍による一六八三年のウィーン包囲から始まった戦争は、一六年も続くことになりました。この戦争を、大トルコ戦争と呼んでいます。オスマン朝には、クリミア・ハン国が味方しました。

大トルコ戦争が象徴的ですが、本書の冒頭で触れたように、精強なオスマン軍に対抗するため、ハプスブルク家もポーランドもロマノフ朝も、自国軍隊を鉄砲で武装しました。こうして東ヨーロッパに鉄砲の壁が出来上がったのです。これによって東方の遊牧民は、ヨーロッパに入ってこられなくなりました。ここに初めてヨーロッパという固有の地域が確立したのです。それまでは、フン族（匈奴（きょうど））やアヴァール族（柔然）に代表される遊牧民がヨーロッパには自由に侵入を繰り返していたのです。

一六八五年、数多い愛人で知られた「陽気な王様」、チャールズ二世が死去しました。認知しただけでも一四人の庶子がいたといわれています。彼らは全て貴族となりました。故ダイアナ妃もチャールズ二世の血を受け継いでいます。ただし、嫡子を残さなかったので、ローマ教会信者の王弟、ヨーク公がジェームズ二世（在位～一六八八）として即位しました。

ジェームズ2世

なお、ジェームズの王位継承に賛成もしくは不介入したグループがトーリー党（後の保守党の祖形）、反対したグループがホイッグ党（後の自由党の祖形）であり、ここから二大政党制が始まったといわれていますが、これは俗説であると主張する人もいます。

同じ一六八五年、ルイ一四世は、フォンテーヌブローの王令を出してナントの王令を廃止、宗教寛容政策を転換したので、ユグノーのフランスからの脱出が始まりました。ブルボン朝の大きな転機であり、

フランスの覇権にも翳りが見え始めました。ユグノーは、当時のフランスでは中産階級の最良の部分を占めていたのです。資本家、職人、技術者、官僚、将校など、国家の運営に必須のグループが、イングランドやネーデルラント、スイスなどに向かいました。スイスの時計産業は、ここから始まったといわれています。また、プロイセン公国をポーランドの支配から解放したブランデンブルク大選帝侯、フリードリヒ・ヴィルヘルム（在位一六四〇〜八八）は、ポツダム勅令を発出して、ユグノーの受け入れを表明しました。

一六八七年、第二次モハーチの戦いでオスマン朝を破ったハプスブルク家は、プレスブルク（ブラチスラヴァ）で開かれた議会でハンガリーの王位継承権を授けられました。オスマン朝では責任を問われてメフメト四世が廃位され、スレイマン二世（在位〜一六九一）が即位しました。同じ一六八七年、オスマン朝とヴェネツィアの戦いの最中にオスマン朝の火薬庫として使われていたアテネのパルテノン神殿（世界遺産）がヴェネツィア軍の砲火によって爆発し、神殿は大破しました。一六八八年、勢いづいたハプスブルク軍はバルカン半島を南下し、ベオグラードを陥落させました。

オスマン朝は態勢を立て直すべく、キョプリュリュ・アフメト・パシャの弟、キョプリュリュ・ムスタファ・パシャを登用して反撃に転じ、一六九〇年にはベオグラードを奪還しました。しかし、一六九一年のスランカメンの戦いでキョプリュリュ・ムスタファ・パシャが敗死する

①～ スルタン即位順
〈　〉内年号は在位期間

① メフメト2世〈1444-46、1451-81〉
② バヤズィト2世〈1481-1512〉
③ セリム1世〈1512-20〉
④ スレイマン1世〈1520-66〉
⑤ セリム2世〈1566-74〉
⑥ ムラト3世〈1574-95〉
⑦ メフメト3世〈1595-1603〉
⑧ アフメト1世〈1603-17〉
⑨ ムスタファ1世〈1617-18、1622-23〉
⑩ オスマン2世〈1618-22〉
⑪ ムラト4世〈1623-40〉
⑫ イブラヒム〈1640-48〉
⑬ メフメト4世〈1648-87〉
⑭ スレイマン2世〈1687-91〉
⑮ アフメト2世〈1691-95〉
⑯ ムスタファ2世〈1695-1703〉
⑰ アフメト3世〈1703-30〉
⑱ マフムト1世〈1730-54〉
⑲ オスマン3世〈1754-57〉
⑳ ムスタファ3世〈1757-74〉
㉑ アブデュルハミト1世〈1774-89〉
㉒ セリム3世〈1789-1807〉
㉓ ムスタファ4世〈1807-08〉
㉔ マフムト2世〈1808-39〉

オスマン朝系図(部分)

と両軍は手詰まり状態となり、戦線は膠着（こうちゃく）状態に陥ります。

ロマノフ朝は、一六八七年と一六八九年にクリミア・ハン国に遠征しましたが成果を挙げられず、ソフィアと大ゴリツィンが失脚して実権はピョートル一世の生母、ナタリヤ・ナルイシキナに移ります。

一六八七年、アイザック・ニュートン（一六四二〜

ニュートン

一七二七）が「自然哲学の数学的諸原理（プリンキピア）」を公刊、万有引力の法則を公にしました。一六六五年から六六年にかけてペストが流行したとき、ニュートンが通っていたケンブリッジ大学が閉鎖され、ニュートンは故郷でステイホームを余儀なくされます。この休暇中に、三大業績と呼ばれる光学理論（プリズムの分光実験、光の粒子説）、万有引力の法則、微分積分法がほぼ完成されたのです。ニュートン二五歳の頃の出来事でした。

ニュートンの人生は、創造の四〇年、権力の四〇年と揶揄（やゆ）されています。一六九六年に王立造幣局に職を得てからは（九九年に長官に昇格）偽金造りの撲滅に情熱を傾ける一方、錬金術の研究に没頭し南海泡沫事件にも関わって大損をしたことが明らかになっています。一七〇五年にアン女王からナイトの称号を与えられましたが、自然科学の業績に対して貴族に叙せられたのはニュートンが初めてです。

†大同盟戦争と名誉革命

一六八八年、ルイ一四世は、プファルツ選帝侯の継承権を主張して、ライン川地方に軍を進めました。翌一六八九年には、プファルツ選帝侯の本拠、ハイデルベルクを略奪しています。絶対王政を確立し、三〇万人の常備軍を整えたルイ一四世は、どこででも戦端を開くことが出来たのです。

プファルツ選帝侯（ライン宮中伯）位は、一七世紀のヨーロッパ史では極めて重要な役割を果たしています。まず、三〇年戦争でボヘミア王に推戴されたフリードリヒ五世（プファルツ＝ジンメルン家）が破れ、神聖ローマ皇帝、フェルディナント二世は選帝侯位をバイエルン公、マクシミリアン一世に与えてプファルツを支配させました。しかし、ウェストファリア条約で、フリードリヒ五世の子どものカール一世ルートヴィヒが選帝侯位とプファルツを回復しました。カール一世の妹ゾフィーは、後のイングランド王ジョージ一世の母となります。

カール一世の子どものカール二世が子どもを残さずに没し（一六八五）、遠縁のフィリップ・ヴィルヘルム（プファルツ＝ノイブルク家）が選帝侯位を継ぎました。これを見たルイ一四世は、王弟オルレオン公（フィリップ一世）の妻がカール二世の妹（エリーザベト・シャルロッ

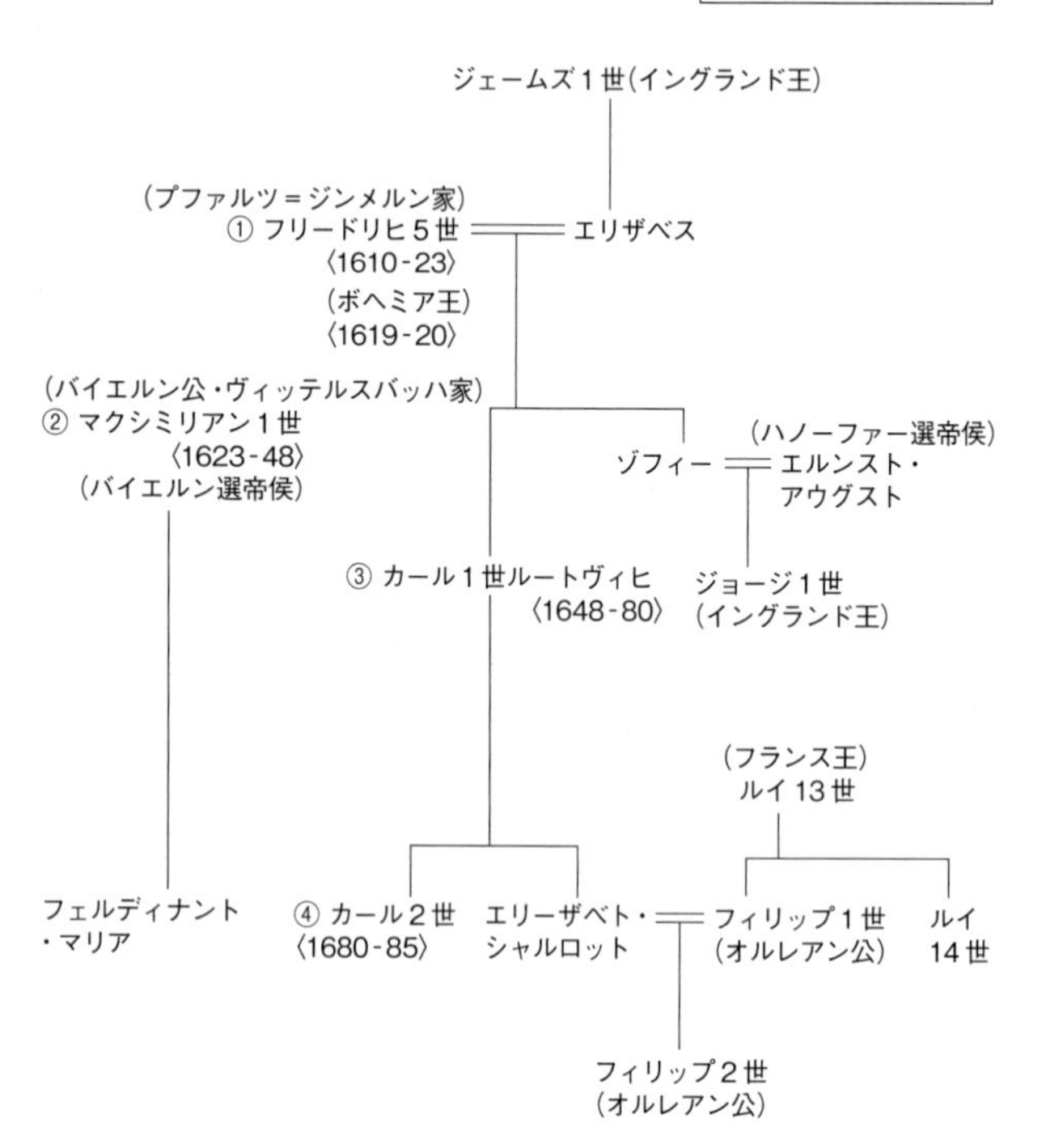
①〜は継承順
〈　〉内年号は在位期間
ジェームズ１世(イングランド王)
(プファルツ＝ジンメルン家)
① フリードリヒ５世
〈1610-23〉
(ボヘミア王)
〈1619-20〉
エリザベス
(バイエルン公・ヴィッテルスバッハ家)
② マクシミリアン１世
〈1623-48〉
(バイエルン選帝侯)
ゾフィー
(ハノーファー選帝侯)
エルンスト・
アウグスト
③ カール１世ルートヴィヒ
〈1648-80〉
ジョージ１世
(イングランド王)
(フランス王)
ルイ13世
フェルディナント
・マリア
④ カール２世
〈1680-85〉
エリーザベト・
シャルロット
フィリップ１世
(オルレアン公)
ルイ
14世
フィリップ２世
(オルレアン公)
(プファルツ＝ノイブルク家)
⑤ フィリップ・ヴィルヘルム
〈1685-90〉

プファルツ選帝侯系図

ト）であることに目をつけ、彼女の継承権を主張したのです。

これに対して、神聖ローマ皇帝レオポルト一世、ドイツ諸侯、スペイン、ネーデルラント、スウェーデンなどがアウグスブルク同盟を結んで対峙しました（一六八六）。ルイ一四世は、ハプスブルク家が大トルコ戦争で東方に兵力を割かれていることを計算に入れ、連合王国のジェームズ二世と組んでドイツ侵攻を企てたのです。この戦争を、大同盟戦争、もしくはプファルツ継承戦争（～一六九七）と呼んでいます。

一六世紀のフランソワ一世・スレイマン一世対カール五世の構図が、一七世紀にも持ち越されていたのです。なお、プファルツ＝ジンメルン家もプファルツ＝ノイブルク家も、一四世紀のバイエルンの名族、ヴィッテルスバッハ家出身のプファルツ選帝侯、ループレヒト三世の流れを汲んでいます。

一六八八年六月、ジェームズ二世がプロテスタントを迫害し始めたので、覚悟を決めた議会側では、プロテスタント貴族七名（イモータル・セブン）がジェームズ二世の長女メアリーとその夫、ネーデルラントの統領ウィレム三世を招聘（しょうへい）しました。同年一一月、ネーデルラント軍を率いたウィレム三世はイングランドに上陸し、ジェームズ二世をフランスに逃亡させました。血は流されなかったので、この政変劇を、名誉革命と呼んでいます。

なお、このクーデタは、ルイ一四世とジェームズ二世の結託を恐れたウィレム三世の策謀で

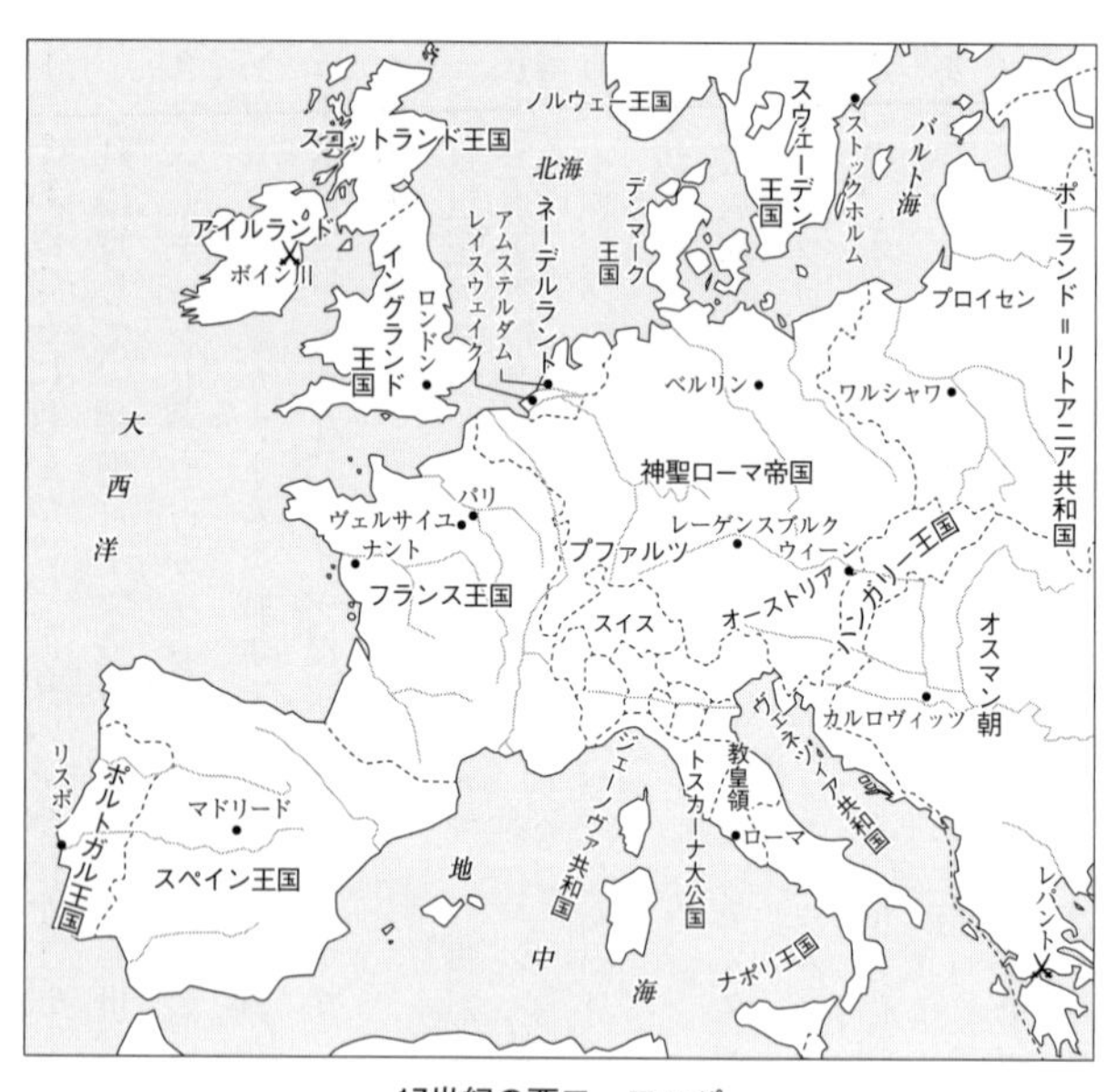

17世紀の西ヨーロッパ

はないか、という説も出されています。ウィレム三世は、ウィリアム三世（在位一六八九～一七〇二）として、妻メアリー二世（在位一六八九～九四）と共に連合王国の王位につきました。議会側は、権利の章典を制定し、立憲政治をさらに強固なものとしました。ウィレム三世は、引き続き、ネーデルラントの統領の座にも留まりましたので（同君連合）、クロムウェルが望んだ両国の連合が成立したことになります。

連合王国は、名誉革命によって、プロテスタントの側に身を置くことを鮮明にしました。ローマ教会色を強めたルイ一四世のフランスの主敵

メアリー2世

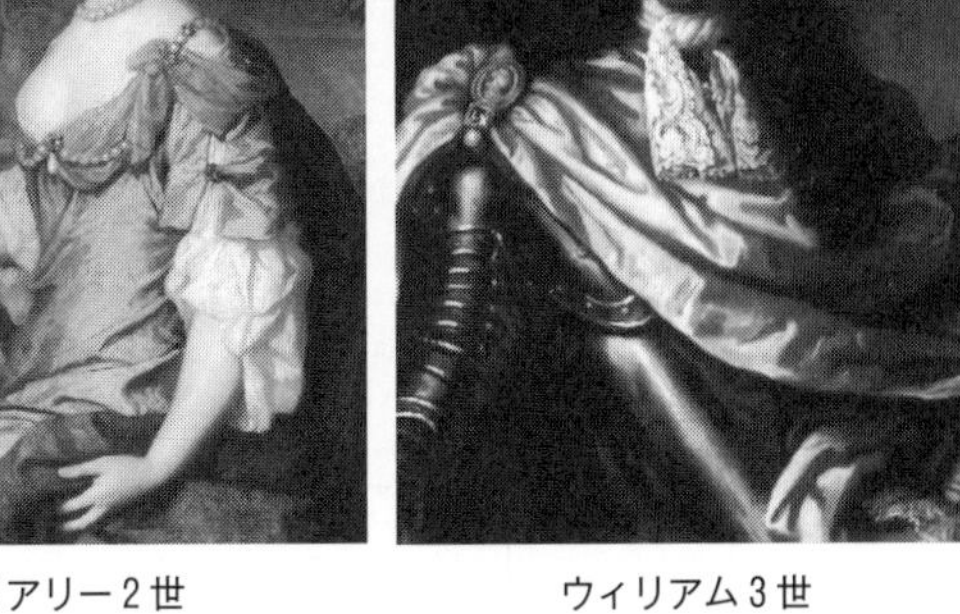

ウィリアム3世

は、もはやハプスブルク家ではなく、連合王国になったのです。このルイ一四世が仕掛けてナポレオン戦争に至る英仏の約一〇〇年にわたる争いを、第二次英仏百年戦争と呼ぶ人もいます。連合王国が仕掛けて連合王国の敗北で終わった前回とは攻守所を変えて、今回はフランスが仕掛けてフランスの敗北で幕を閉じます。

イングランド経験論の父、ジョン・ロック（一六三二〜一七〇四）は「統治二論」を公刊し（一六八九）、社会契約論や抵抗権を論じて名誉革命を強く弁護しました。この著は、神学を排した人間の理性に基づく啓蒙思想の始まりの書とされています。統治二論は、アメリカの独立宣言やフランス人権宣言に大きな影響を与えることになるでしょう。このような啓蒙思想の根底には、ニュートンに代表される自然科学の発達がありました。自然科学は、聖書の

①～ イングランド王位継承順
(1)～ スコットランド王位継承順
Ⅰ～ グレートブリテン王位継承順
〈 〉内年号は在位期間

(テューダー朝)
① ヘンリー7世
〈1485-1509〉

(スコットランド・
ステュアート朝)
(1) ジェームズ4世 ＝ マーガレット
〈1488-1513〉

② ヘンリー8世
〈1509-47〉

(フランス王)
ルイ12世 ＝ メアリー

フランセス

(ギーズ家)
メアリー ＝ (2) ジェームズ5世
〈1513-42〉

⑤ メアリー
1世
〈1553-58〉

⑥ エリザベス
1世
〈1558-1603〉

③ エドワード
6世
〈1547-53〉

④ ジェーン・
グレイ
〈1553〉

(フランス王)
フランソワ2世 ＝ (3) メアリー1世 ＝ ヘンリー・ステュアート
〈1542-67〉 (ダーンリー卿)

(イングランド・ステュアート朝)
⑦ ジェームズ1世
〈1603-25〉
(4) ジェームズ6世 ＝ アン・オブ・デンマーク
〈1567-1625〉

(フランス王)
アンリ4世

ヘンリエッタ
・マリア ＝ ⑧ (5) チャールズ1世
〈1625-49〉

(プファルツ選帝侯)
フリードリヒ5世 ＝ エリザベス

(ハノーファー選帝侯)
ゾフィー ＝ エルンスト・アウグスト

⑨ チャールズ2世
〈1660-85〉
(6) 〈1649-51、
60-85〉

⑩ ジェームズ2世
(7) ジェームズ7世
〈1685-88〉 ＝ メアリー・オブ・
モデナ

(ネーデルラント
提督)オラニエ公
メアリー・
ヘンリエッタ ＝ ウィレム2世

ジェームズ
(老僭王)

(ハノーファー朝)
Ⅱ ジョージ1世
〈1714-27〉

Ⅲ ジョージ2世
〈1727-60〉

Ⅳ ジョージ3世
〈1760-1820〉

現在に至る

⑬ アン
(10) 〈1702-07〉
Ⅰ 〈1707-14〉

チャールズ
(若僭王)

ウィレム3世
⑫ ウィリアム3世
(9) ウィリアム2世
〈1689-1702〉 ＝ ⑪ (8) メアリー2世
〈1689-94〉

イングランド王家系図

天地創造の物語を世界の片隅に追い遣ってしまったのです。

ところで、名誉革命は、長い目で見ると、ネーデルラントの挽歌(ばんか)となりました。ウィリアム三世は、ネーデルラントの海軍の規模をイングランド海軍の六割に押さえ(陸軍は逆でしたが)、しかも、英蘭連合艦隊の司令官にはイングランド人を任命したのです。これによって、デ・ロイテル提督以来勇名を馳せたネーデルラントの海軍力は弱体化しました。

ルイ一四世を仇敵(きゅうてき)とみなすウィリアム三世は、その生涯にわたってフランスと戦い続けましたが、その戦費は、議会の伝統があって増税の難しい連合王国ではなく、ネーデルラントがその多くを負担することになりました。その結果、アムステルダムの銀行など主要企業は、ウィリアム三世のお膝元のロンドンに移転するようになったのです。

このように、同君連合の約一五年間に、ネーデルラントは確実に体力を消耗させ、いわば、ヨーロッパ最後の都市国家ともいうべきアムステルダムは、ロンドンに主役の座を明け渡すことになったのです。

一六八九年にルイ一四世は、ジェームズ二世とフランス軍を、アイルランドに上陸させて、ウィリアム三世の背後を突かせました。ウィリアム三世は、アウグスブルク同盟に参加してフランスに宣戦を布告します。アイルランドは一時ジャコバイト(ジェームズのラテン語名が語源で、ジェームズ二世とその男系子孫を支持する勢力を指します)が席捲(せっけん)しましたが、一六九〇年、ボイン川の戦いで、ウィリアム三世は決定的な勝利を収め、ジェームズ二世はフランスに逃げ帰らざるを得ませんでした。この戦争は、新大陸にも飛び火し（ウィリアム王戦争）、ニューイングランドとヌーヴェル・フランス（カナダ）が戦火を交えますが、決着はつかず国境線の移動はありませんでした。

一六九三年、戦費調達のために連合王国で国債制度が導入され、翌一六九四年には、国債管理のために中央銀行であるイングランド銀行が設立されました。因みに世界最古の中央銀行は一六六八年に設立されたスウェーデン国立銀行です。

一六九六年、ピョートル一世は、クリミア・ハン国に侵入してアゾフを占領し黒海への出口を確保しました。一六九七年のレイスウェイク条約で大同盟戦争は終結しましたが、大体において戦前の姿に戻ることが確認され、ルイ一四世はプファルツ選帝侯の継承権を放棄しました。これには、ルイ一四世の目がスペイン王位に向けられていたことが大きいようです。同じ一六九七年、ピョートル一世が、西欧視察の旅（～一六九八）に出発しました。彼我の差に驚いたピョートル一世は、帰国後、早速、ロシアの近代化に着手することになるでしょう。

大トルコ戦争は、一六九七年のゼンタの戦いで、プリンツ・オイゲンがオスマン軍に完勝、一六九九年のカルロヴィッツ条約で終結しました。この条約は、オスマン朝が初めてヨーロッパ諸国に領土を割譲（ハンガリーとトランシルヴァニアをハプスブルク家に割譲など）した条約となりました。

†アウラングゼーブと康熙帝

ムガール朝にとって、領土拡張の方向は二つありました。父祖の地、中央アジアと南インドです。中央アジアの係争の地は、アフガニスタンの要衝、カンダハールでした。サファヴィー朝の名君、アッバース一世は実力でカンダハールを占領（一六二二）、その後、一六三八年にはムガール朝の支配下に入りましたが、一六四九年に再びサファヴィー朝のアッバース二世（在位一六四二〜六六）がカンダハールを軍事占領すると、中央アジアにはもはや手が出せなくなりました。

アウラングゼーブ

一六五七年にシャー・ジャハーンが重病になると、四人の息子による後継者争いが生じました。シャー・ジャハーンに溺愛された長男の皇太子、ダーラー・シコーはアクバルの宗教寛容路線を引き継いでいましたが、実弟のデカン太守、アウラングゼーブは敬虔（けいけん）・純粋なムスリムで、バーブル以来五代の先帝が築いてきた宗教融和政策に強い嫌悪感を抱いていました。アウラングゼーブは、ゴールコンダ王国の宰相だった勇将、ミール・ジュムラー(一五九一～一六六三)の助けを借りて、兄弟を倒して後継者争いに勝ち抜き、父のシャー・ジャハーンを幽閉して一六五八年に帝位に昇りました(在位～一七〇七)。アウラングゼーブは、さっそく南インドを目指して領土拡大に乗り出します。

シヴァージー

デカン高原では、バフマニー朝が分裂して成立したムスリム五王国(デカン・スルターン朝)の中で、ビジャープル王国(一四九〇～一六八六)やハイダラーバードを首都とするゴールコンダ王国(一五一八～一六八七)が有力となり、一六四九年には、ほぼ三世紀続いたヒンドゥー教のヴィジャヤナガル王国を滅ぼしました。一六五九年、ビジャープル王国の中で、ヒンドゥー教徒のシヴァージー(マラーター王国の初代君主。在位一六七四～八〇)が自立を果たしました。

アウラングゼーブは遠征軍を派遣し、一六六五年、シヴァージーは、名将、ジャイ・シング(一六一一～六七)の率いるムガール軍に包囲されました。シヴァージーはムガール朝への服従を誓約し、翌一六六六年には、アーグラのアウラングゼーブの下に出頭、監禁されたものの逃亡に成功します。

一六六九年、一五歳になった康熙帝は、権力を恣にしていた重臣オボイ（一六一〇頃〜六九）を知略をもって逮捕、排除して親政を始めました。父君以上の天稟はすぐに明らかとなりました。中国では、史上最高の名君が誕生しようとしていたのです。

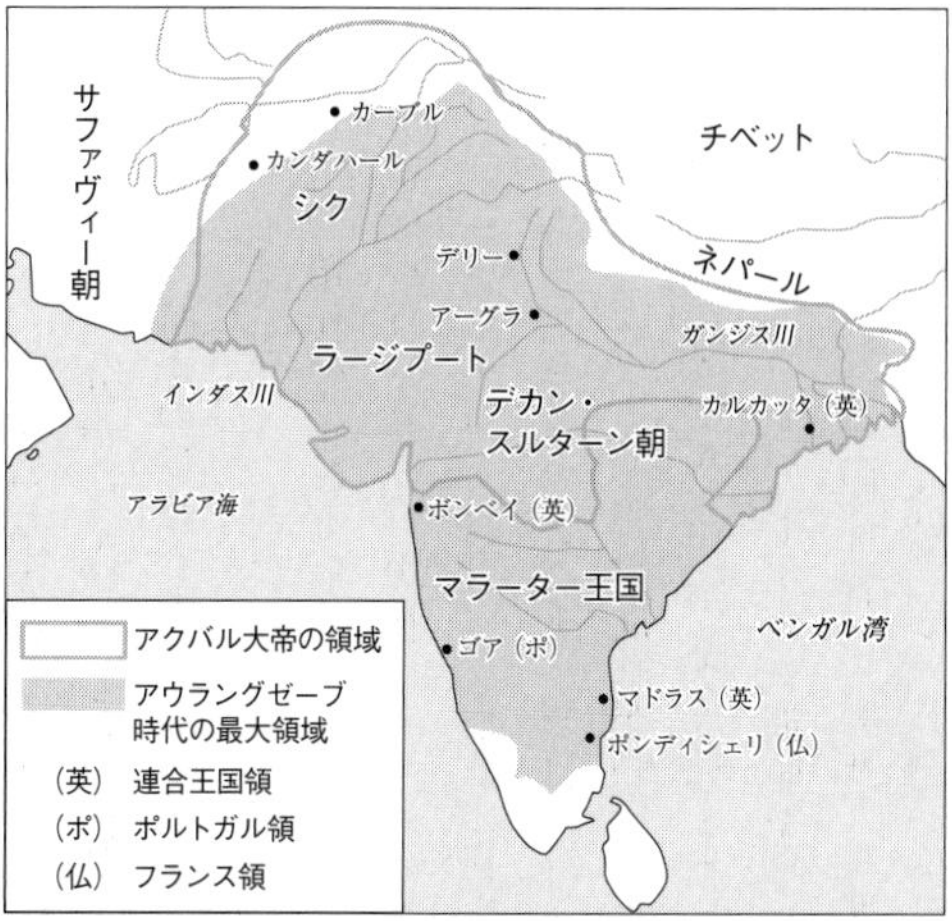

17世紀のムガール朝

一六六九年、アウラングゼーブは、異教寺院・学校倒壊令を発布しました。これが、ムガール朝の繁栄が、暗転に向かう分水嶺となりました。

同じ一六六九年、康熙帝は西洋暦法を採用し、イエズス会の宣教師、フェルディナント・フェルビースト（一六二三〜八八）が責任者に任命されました。一六七〇年、オイラトの一族、ジュンガル部のガルダン・ハンが西モンゴルを支配し、一六七二年には清に朝貢しました。

一六七三年、三藩の乱（〜一六八一）が発生しました。康熙帝が三藩の廃止を決めたことに反発したのです。鄭成功の一族も呼応し、一時は長江以南を占領するなど勢いを示しましたが、康熙帝は全く動じませんでした。三藩の側には決起の大義名分がなく統一した指導部もなかったのです。清は、周培公（一六三二〜一七〇二）など漢人将軍の活躍もあって反乱軍を個別撃破していきました。

一六七四年、シヴァージーは、ラーイガドで即位し、ヒンドゥー教のマラーター王国が成立しました。現代のインドでは、シヴァージーは、ヒンドゥー・ナショナリズムを代表する人物として尊敬されており、現在、ムンバイ沖で世界一高いシヴァージー像の建設が進んでいます。しかし、シヴァージー自身は、信教の自由を認めていました。

一六七九年、アウラングゼーブは、非ムスリムへの人頭税（ジズヤ）賦課令を発令、これに激怒したラージプート族の反乱が勃発しました。一六八〇年、シヴァージーが没し、長子、サンバージー（在位〜八九）が跡を継ぎましたが、力量の差は如何ともし難く、好機とみたアウラングゼーブは、武力でデカン征服を推し進めました（一六八六年ビジャープル王国併合、一六八七年ゴールコンダ王国併合、一六八九年サンバージーを処刑）。その結果、ムガール朝の領土は史上最大となりましたが、ヒンドゥー教徒やシク教徒の反乱は、全土で激化の一途を辿っていきました。

パンジャーブ地方を根城とするシク教徒は、九代のグル（指導者）が、一六七五年にアウラングゼーブに処刑されたので、その息子の一〇代グル・ゴービンド・シング（一六六六〜一七〇八）が抵抗のシンボルとなりました。一六八二年、詳細なオスマン帝国内の旅行記を残したエヴリヤ・チェレビ（一六一一～）没。彼の旅行記は一七世紀のオスマン朝の言語や生活様式を知る上で最良のテキストとなっています。

三藩の乱を鎮圧した康熙帝は、一六八三年、水軍提督の施琅（しろう）（一六二一～九六）に命じて台湾に侵攻、鄭氏一族は降伏しました。康熙帝は、翌一六八四年、展界令を発布し（遷界令は解除されました）私貿易を許しましたが、中国の自由な海民は鄭氏政権を最後の輝きとして姿を消しました。一六八八年、タイのアユタヤ朝の王、ナーラーイ（在位一六五六～）没。ナーラーイは、中国やネーデルラントはもとより、連合王国やフランスとも交易を行いアユタヤ朝の最盛期の一つを現出させました。

康熙帝

一六八九年、康熙帝は、ロマノフ朝との間にネルチンスク条約を結び、東部国境を画定しました。これは、中国が、他国を初めて対等の国と認めて結んだ条約であり、中国の歴史の上では画期的なものでした。なお、条約の原文はラテン語です。それまでは、朝貢関係ですべての外交が処理されていたのです。康熙帝は、イエズス会宣教師のアドバイスを受け、国際情勢にも通暁していたといわれていますが、満洲族とロシアは元来は毛皮商人同士だったのですから、ウマが合ったのかも知れません。

この条約により、ロマノフ朝は、念願の不凍港の獲得はなりませんでしたが、新たな毛皮の輸出先を確保しました。ヨーロッパには、安価な北アメリカ産の毛皮が流入して、ロシアの毛皮は売れ行きが落ち込んでいたのです。また、清は第一次清・ジュンガル戦争(一六八七〜九七)を始めたばかりで、ロシアとジュンガル部の連携を断ち切りたいという思惑がありました。

条約は、全体としては清に有利で、ロシアの摂政ソフィアと大ゴリツィンは、二度にわたるクリミア・ハン国遠征の失敗と合わせて責任を追及され、失脚することになりました。ロシアの実権はピョートル一世の生母、ナタリヤ・ナルイシキナ(一六五一〜九四)の手に渡りました。ナタリヤは兄弟の助けを借りて国政を壟断(ろうだん)します。ピョートル一世の親政が始まるのはナタリヤの死後(一六九四)のことになります。

清は一六八七年からジュンガル部と戦端を開いていましたが、一六九一年、康熙帝は、ガルダン・ハンに侵入された東モンゴル、ハルハ部(ダヤン・カアンに連なる一族。ウランバートルが首邑(しゅゆう))の支援要請に応えて、ドロンノールで会盟を主催しハルハ部は康熙帝に服属しました。そして、一六九七年には、ガルダン・ハンを敗死させ、モンゴル高原の平和を回復しました。

一六九五年、復社の系譜を引き長崎に明の救援依頼に駆けつけた黄宗羲(こうそうぎ)(一六一〇〜)没。

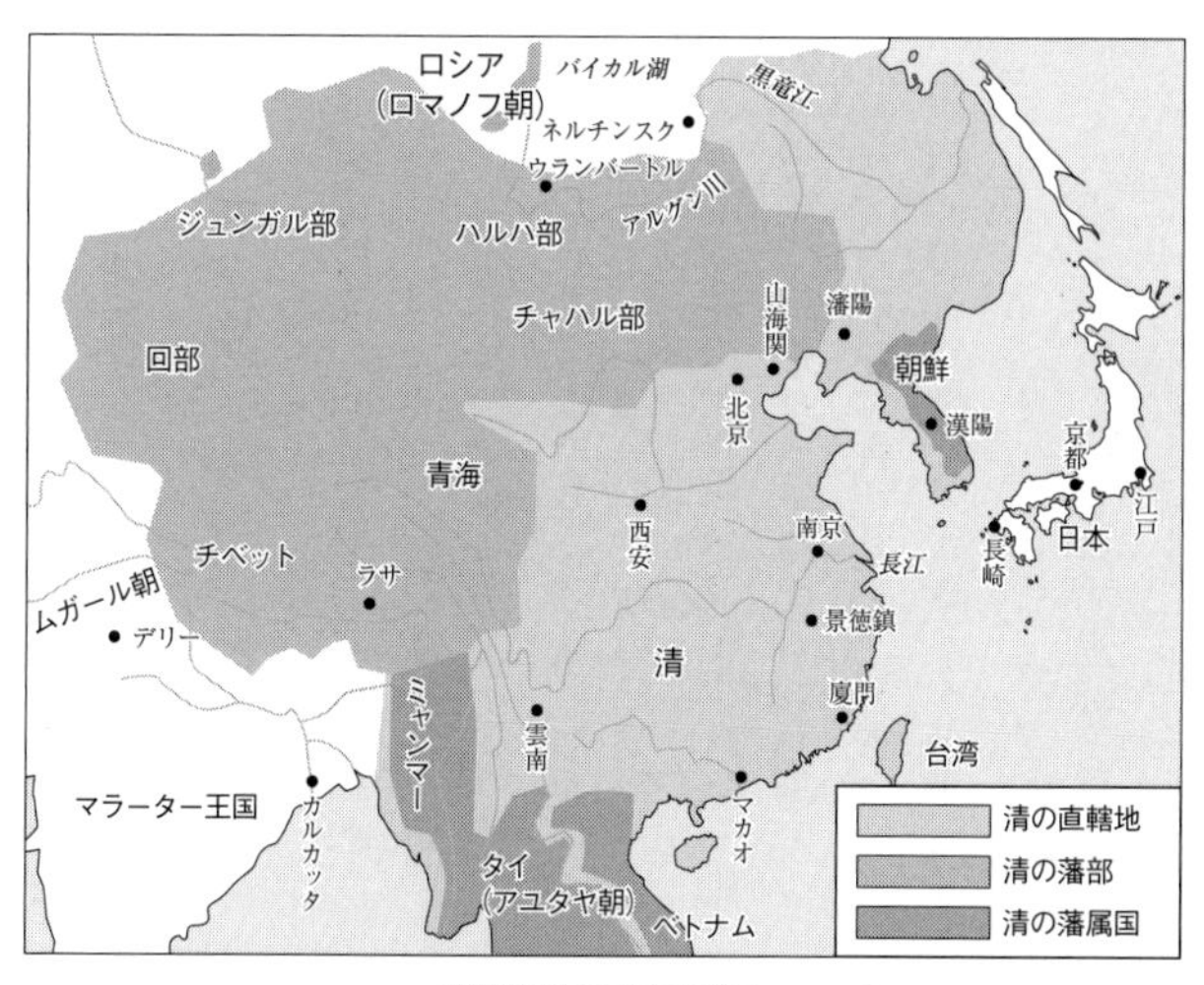

17世紀末の東アジア

明滅亡の理由を思索した黄宗羲は皇帝権力の由来を公共性の担い手に求めました。清末に革命運動が高揚してくると、黄宗羲は「中国のルソー」と呼ばれるようになります。また、考証学の開祖、顧炎武（一六一三～八二）は、天下（文明）と国（政権）を明確に区分しました。この二人に思想家、王夫之（一六一九～九二）を加えた三人を清初三大師と呼んでいます。いずれも清朝に仕えることなく在野を貫きました。

康熙帝は、計六回の南方巡行（一六八四、一六八九、一六九九、一七〇三、一七〇五、一七〇七）を行い、各地の実情を具に観察しました。康熙帝の宮廷は実に質素であり、明の一日の経費で一年間が賄えたともいわれています。康熙帝自らが大変な知識人であり、政務に精励し、また自ら虎を倒すほどの弓の達人でもあったと伝えられています。清は、まさに全盛期を迎えようとしていたのです。

†一七〇〇年の世界

一七〇〇年の世界のGDPは、概ね、次頁の図表の通りです。

一七〇〇年、北京の紫禁城では、康熙帝が四六歳の働き盛りで政務に励んでいましたが、皇太子の素行が大きな悩みの種となっていました。唐の太宗もそうでしたが、名君の跡継ぎ問題ほど難しいものはありません。なお、一六九五年には紫禁城の太和殿が再建され、現在に至っています。

ムガール朝のアウラングゼーブは、齢、八二歳を数えるようになりましたが、サンバージーの異母弟、ラージャーラーム（在位一六八九〜一七〇〇）を擁したマラーター王国の抵抗はやまず、デカン戦争は泥沼化の一途を辿っていました。アウラングゼーブは、四月にマラーター王国の臨時首都、サーターラーを落としましたが、ラージャーラームの有能な妃、ターラー・バーイー（一六七五〜一七六一）が幼子、シヴァージー二世（在位一七〇〇〜一七〇八）の摂政としてムガール軍を押し返す健闘を見せました。

ムガール朝の領土は史上最大となりましたが、全土での異教徒の反乱は止まず、ベンガルでは、連合王国の東インド会社が、コルカタ（カルカッタ）の基礎となる三か村の徴税権を正式に購入し（一六九八）、ウイリアム要塞の建設を始めました。

オスマン朝では、カルロヴィッツの和約で初めて領土を割譲したスルターン、ムスタファ二世（在位一六九五〜一七〇三）のもとで、大宰相、キョプリュリュ・ヒュセイン・パシャの構造改革が始まっていましたが、保守派の頑強な抵抗に遭遇していました。

サファヴィー朝では、一六四九年にムガール朝からカンダハールを奪還したアッバース二世が没すると、子どものサフィー二世スライマーン（在位一六六六〜九四）が跡を継ぎましたが、無為無策で海賊スチェパン・ラージンにも対抗できず、その跡を継いだスルターン・フサイン（在位一六九四〜一七二二）はさらに無能で、帝国の威勢は一気に傾きました。

1700年の世界のＧＤＰシェア（単位：％）

清	22.3
ムガール朝などインド	24.4
オスマン朝	8.3
サファヴィー朝	6.5
フランス	5.7
イタリア	3.9
ドイツ	3.6
スペイン	3.6
ロマノフ朝	3.1
連合王国	2.9
ネーデルラント	1.1
日本	4.1

六二歳になったルイ一四世は、マドリードの情勢に目を凝らしていました。スペイン王カルロス二世（在位一六六五〜一七〇〇）は病弱で跡継ぎがなく、ルイ一四世の孫、アンジュー公フィリップが最有力候補だったからです。しかし、ブルボン家がスペインを領有

することになれば、ヨーロッパのパワーオブバランスが大きく変化するため、戦争は必至の情勢でした。史実とは異なるようですが「朕は国家なり」と言い放ったとされる太陽王の最後の大一番の戦いが始まろうとしていたのです。フィリップがスペインの王位を継承すれば、ハプスブルク家は勿論のこと、ルイ一四世を目の仇とする連合王国とネーデルラントの支配者、ウィリアム三世が黙っているはずがありません。いわば、ヨーロッパ中の目がマドリードに注がれていたのです。

その間隙を縫って、北西ヨーロッパでは大北方戦争が勃発していました。一六九七年、バルト帝国スウェーデンでは一五歳のカール一二世（在位〜一七一八）が即位しました。一六九九年、カール一二世の若年に乗じて、デンマーク（フレデリック四世）、ポーランド（アウグスト二世）、ロシア（ピョートル一世）が三国同盟を締結し、一七〇〇年に大北方戦争（〜一七二一）を仕掛けたのです。目指すは、バルト帝国スウェーデンの分割でした。スペイン情勢が逼迫していましたので、ヨーロッパ列強の目は北ヨーロッパにまで届かない、ということを三国はちゃっかりと計算していたのです。

しかし、カール一二世の不屈の闘志は計算外でした。カール一二世は、連合王国やネーデルラントの支援を受けて、直ちにデンマークを急襲、撃破し（トラヴェンタールの和議でデンマークは三国同盟から脱落）、軍を返してエストニアのナルヴァの戦い（一七〇〇）でロシア軍にも大勝し、余勢をかってポーランドに攻め入りました。

ローマでは、クレメンス一一世（在位一七〇〇～二一）が教皇に就任しました。マテオ・リッチ以来、中国では、イエズス会によって柔軟な布教方針が貫かれていました。イエズス会は、中国の商以来の先祖崇拝を慣習として容認したのです。康熙帝はその精神を嘉（よみ）し、一六九二年にキリスト教の布教を公認しました。しかし、後から中国に入った偏狭なドミニコ会などは、イエズス会の文化適応政策を理解出来ず、ローマ教会の教条をそのまま持ち込んで、イエズス会の足を引っ張ったのです。これを典礼論争と呼んでいます。典礼とは中国の伝統文化を指します。

典礼論争は、最終的には、康熙帝とローマ教皇の争いになりました。クレメンス一一世は、イエズス会を批判、孔子や先祖への崇敬を偶像崇拝として禁止し、典礼論争に終止符を打ちました（一七一五）。イエズス会は苦しい立場に追い込まれ、激怒した康熙帝はイエズス会以外の布教を禁じました。

日本は、徳川五代将軍、綱吉の治世下にありました。時は元禄、近松門左衛門や尾形光琳などが活躍していました。鎖国下にありましたが、長崎からは、棹銅（さおどう）（インゴット）が盛んに輸出されていました。別子銅山を擁する日本は、当時、世界最大の産銅国だったのです。赤穂藩主浅野長矩（ながのり）の刃傷事件は、翌年、一七〇一年のことになります。

参考文献

1　全集・シリーズなど

『悪の歴史』清水書院　全6巻
『イスラーム原典叢書』岩波書店（刊行中）
『岩波講座 世界歴史』（旧版）岩波書店　全31巻
『岩波講座 世界歴史』（新版）岩波書店　全29巻
『ケンブリッジ版世界各国史』創土社　全12巻
『興亡の世界史』講談社　全21巻
『週刊朝日百科 世界の歴史』朝日新聞社　全131冊
『宗教の世界史』山川出版社　全12巻
『諸文明の起源』京都大学学術出版会　全15巻
『書物誕生』岩波書店　全30巻
『新版 世界各国史』山川出版社　全28巻
『図説 世界の歴史』創元社　全10巻
『世界史史料』岩波書店　全12巻
『世界史リブレット』山川出版社（刊行中）
『世界の教科書シリーズ』明石書店　全45巻
『世界の名著』中央公論社　全81巻
『世界の歴史』（旧版）中央公論社　全16巻＋別巻
『世界の歴史』（新版）中央公論社　全30巻
『世界歴史大系』山川出版社　全28巻
『中国の歴史』（新版）講談社　全12巻
『岩波講座 日本経済の歴史』岩波書店　全6巻
『MINERVA 世界史叢書』ミネルヴァ書房　全16巻（刊行中）
『物語 〇〇の歴史』シリーズ　中公新書（刊行中）
『文選』岩波文庫　全6巻（刊行中）
『ヨーロッパの中世』岩波書店　全8巻
『ヨーロッパ史入門』岩波書店　全10巻
『歴史の転換期』山川出版社　全11巻（刊行中）
『historia』山川出版社　全28巻
佐藤賢一　全著作
塩野七生　全著作
杉山正明　全著作
陳舜臣『中国の歴史』平凡社　全15巻

2　総論

網野善彦2012『歴史を考えるヒント』新潮文庫
石川九楊2012『説き語り中国書史』新潮選書
板谷敏彦2013『金融の世界史』新潮選書
市井三郎1971『歴史の進歩とはなにか』岩波新書
井筒俊彦1991『イスラーム文化』岩波文庫
井波律子2014『中国人物伝Ⅰ～Ⅳ』岩波書店
井上たかひこ2015『水中考古学』中公新書
入江昭2005『歴史を学ぶということ』講談社現代新書
祝田秀全2016『銀の世界史』筑摩書房
上田信2016『貨幣の条件』筑摩選書
上田信1995『伝統中国』講談社選書メチエ
梅田修2016『人名から読み解くイスラーム文化』大修館書店
梅原郁2003『皇帝政治と中国』白帝社
大塚柳太郎2015『ヒトはこうして増えてきた』新潮選書
岡崎正孝2000『カナート イランの地下水路』論創社
小野塚知二2018『経済史』有斐閣
加藤九祚1995『中央アジア歴史群像』岩波新書
北岡伸一、歩平編2014『「日中歴史共同研究」報告書（1・2）』

勉誠出版
黒田明伸2014『貨幣システムの世界史』岩波書店
近藤和彦編2015『ヨーロッパ史講義』山川出版社
阪倉篤秀2015『長城の中国史』講談社選書メチエ
佐藤健太郎2013『炭素文明論』新潮選書
佐藤健太郎2018『世界史を変えた新素材』新潮選書
杉田英明2002『葡萄樹の見える回廊』岩波書店
鈴木大拙1972『日本的霊性』岩波文庫
高島正憲2017『経済成長の日本史』名古屋大学出版会
田家康2013『気候で読み解く日本の歴史』日本経済新聞出版社
田家康2019『気候文明史』日経ビジネス人文庫
田家康2019『世界史を変えた異常気象』日経ビジネス人文庫
檀上寛2016『天下と天朝の中国史』岩波新書
東京歴史科学研究会2017『歴史を学ぶ人々のために』岩波書店
冨谷至2016『中華帝国のジレンマ』筑摩選書
内藤湖南1992『支那史学史（1・2）』東洋文庫
長澤和俊1989『海のシルクロード史』中公新書
西尾哲夫2013『ヴェニスの商人の異人論』みすず書房
長谷川修一他2018『歴史学者と読む高校世界史』勁草書房
羽田正2016『地域史と世界史』ミネルヴァ書房
早坂眞理2017『リトアニア』彩流社
藤井毅2003『歴史のなかのカースト』岩波書店
三谷博2013『愛国・革命・民主』筑摩選書
宮本正興／松田素二2018『新書アフリカ史』講談社
本村凌二2005『多神教と一神教』岩波新書
クロード・アジェージュ2018『共通語の世界史』白水社
ジャック・アタリ2015『ユダヤ人、世界と貨幣』作品社
カレン・アームストロング2017『イスラームの歴史』中公新書

タミム・アンサーリー2011『イスラームから見た「世界史」』紀伊國屋書店
ロイド・E・イーストマン1994『中国の社会』平凡社
H・G・ウェルズ1966『世界史概観（上・下）』岩波新書
I・ウォーラーステイン2013『近代世界システムI〜IV』名古屋大学出版会
ジョン・L・エスポジト2005『イスラームの歴史1〜3』共同通信社
E・H・カー1962『歴史とは何か』岩波新書
ジョン・キーン2013『デモクラシーの生と死（上・下）』みすず書房
チャールズ・キング2017『黒海の歴史』明石書店
シリル・P・クタンセ2016『海から見た世界史』原書房
マイケル・クック2005『世界文明一万年の歴史』柏書房
グレゴリー・クラーク2009『10万年の世界経済史（上・下）』日経BP社
デヴィッド・クリスチャン他2016『ビッグヒストリー』明石書店
デイヴィッド・クリスチャン2019『オリジン・ヒストリー』筑摩書房
グレゴリー・クレイズ2013『ユートピアの歴史』東洋書林
ニコラス・クレイン2019『ユー・アー・ヒア』早川書房
レイ・タン・コイ2000『東南アジア史』文庫クセジュ
マイケル・コリンズ他2018『旅と冒険の人類史大図鑑』河出書房新社
アラン・コルバン2010『キリスト教の歴史』藤原書店
イヴァン・コンボー2002『パリの歴史』文庫クセジュ
ジェイン・ジェイコブズ2010『アメリカ大都市の死と生』鹿島出版会

ジュリアン・ジェインズ2005『神々の沈黙』紀伊國屋書店
ウォルター・シャイデル2019『暴力と不平等の人類史』東洋経済新報社
シュヴェーグラー1958『西洋哲学史（上・下）』岩波文庫
ポール・ジョンソン2006『ユダヤ人の歴史（全3巻）』徳間文庫
P・D・スミス2013『都市の誕生』河出書房新社
ギヨーム・ド・ベルティエ・ド・ソヴィニー2019『フランス史』講談社選書メチエ
ジェイコブ・ソール2018『帳簿の世界史』文春文庫
ジャレド・ダイアモンド2012『銃・病原菌・鉄（上・下）』草思社文庫
ダーウィン1990『種の起原（上・下）』岩波文庫
リチャード・ドーキンス2006『利己的な遺伝子』紀伊國屋書店
エマニュエル・トッド2016『家族システムの起源（上・下）』藤原書店
ジャン＝フランソワ・ドルティエ2018『ヒト、この奇妙な動物』新曜社
ルース・ドフリース2016『食糧と人類』日本経済新聞出版社
ニーダム1991『中国の科学と文明』思索社
ネルー2016『父が子に語る世界歴史1〜8』みすず書房
ジョン・ジュリアス・ノーウィッチ2016『世界の歴史都市』柊風舎
ジョン・ハーヴェイ2014『黒の文化史』東洋書林
フェルナンド・バエス2019『書物の破壊の世界史』紀伊國屋書店
スティーブ・パーカー2016『医療の歴史』創元社
ニコラス・A・バスベインズ2016『紙 二千年の歴史』原書房
エルヴィン・パノフスキー2002『イコノロジー研究（上・下）』ちくま学芸文庫
ユヴァル・ノア・ハラリ2016『サピエンス全史（上・下）』河出書房新社
イブン＝ハルドゥーン2001『歴史序説1〜4』岩波文庫
ヴァレリー・ハンセン2016『図説シルクロード文化史』原書房
キティ・ファーガソン2011『ピュタゴラスの音楽』白水社
クライブ・フィンレイソン2013『そして最後にヒトが残った』白揚社
ブライアン・フェイガン2016『人類と家畜の世界史』河出書房新社
リチャード・フォーティ2014『〈生きた化石〉生命40億年史』筑摩選書
G・ブルヌティアン2016『アルメニア人の歴史』藤原書店
クリスチャン・ベック2000『ヴェネツィア史』文庫クセジュ
クリストファー・ベックウィズ2017『ユーラシア帝国の興亡』筑摩書房
ヨハン・ベックマン1999〜2000『西洋事物起原㈠〜㈣』岩波文庫
A・M・ホカート2012『王権』岩波文庫
K・ポメランツ2015『大分岐』名古屋大学出版会
ウィリアム・H・マクニール2008『世界史（上・下）』中公文庫
ウィリアム・H・マクニール2014『戦争の世界史（上・下）』中公文庫
ウィリアム・H・マクニール他2015『世界史Ⅰ・Ⅱ』楽工社
ニール・マクレガー2012『100のモノが語る世界の歴史1〜3』筑摩選書
アンガス・マディソン2004『経済統計で見る世界経済2000年史』柏書房
マンフォード1985『歴史の都市 明日の都市』新潮社
ローター・ミュラー2013『メディアとしての紙の文化史』東洋

書林
ヴィクター・H・メア他2017『96人の人物で知る中国の歴史』原書房
マリア・ロサ・メノカル2005『寛容の文化』名古屋大学出版会
イアン・モリス2014『人類5万年 文明の興亡（上・下）』筑摩書房
E・ル＝ロワ＝ラデュリ2019『気候と人間の歴史I』藤原書店
ヨアヒム・ラートカウ2013『木材と文明』築地書館
マッシモ・リヴィ－バッチ2014『人口の世界史』東洋経済新報社
ジョン・ルカーチ2013『歴史学の将来』みすず書房
J・ル＝ゴフ2016『時代区分は本当に必要か？』藤原書店
林秀一1967・1969『十八史略 新釈漢文大系（上・下）』明治書院
『詳説世界史研究』2017山川出版社
『詳説世界史図録』2014山川出版社
『世界史小辞典』2004山川出版社
『世界史20講』2014岩波書店
『世界史年表』2017岩波書店
『世界史年表・地図』2018吉川弘文館
『世界人名大辞典』2013岩波書店
『世界都市史事典』2019昭和堂
『歴史の「常識」をよむ』2015東京大学出版会

3 単行本

青山和夫他編2019『古代アメリカの比較文明論』京都大学学術出版会
阿部謹也1981『中世の風景（上・下）』中公新書
阿部謹也2017『中世の窓から』ちくま学芸文庫
阿部謹也2008『中世を旅する人びと』ちくま学芸文庫
阿部謹也1988『ハーメルンの笛吹き男』ちくま文庫
阿部謹也2006『ヨーロッパを見る視角』岩波現代文庫
天児慧2013『中華人民共和国史 新版』岩波新書
荒松雄1993『多重都市デリー』中公新書
石井美樹子2009『エリザベス』中央公論社
石川明人2019『キリスト教と日本人』ちくま新書
泉靖一1959『インカ帝国』岩波新書
岩井茂樹2020『朝貢・海禁・互市』名古屋大学出版会
上田信2020『人口の中国史』岩波新書
岡本隆司2020『教養としての「中国史」の読み方』PHP
鹿子生浩輝2019『マキャヴェッリ』岩波新書
川口琢司2014『ティムール帝国』講談社選書メチエ
合田昌史2006『マゼラン』京都大学学術出版会
小坂井敏晶2011『増補 民族という虚構』ちくま学芸文庫
齋藤晃編2020『宣教と適応』名古屋大学出版会
佐藤賢一2014『ヴァロワ朝』講談社現代新書
佐藤賢一2019『ブルボン朝』講談社現代新書
佐藤次高2004『イスラームの国家と王権』岩波書店
佐藤次高2008『砂糖のイスラーム生活史』岩波書店
白石隆2000『海の帝国』中公新書
杉山清彦2015『大清帝国の形成と八旗制』名古屋大学出版会
田家康2019『気候文明史』日経ビジネス人文庫
田家康2019『世界史を変えた異常気象』日経ビジネス人文庫
竹田いさみ2011『世界史をつくった海賊』ちくま新書
立石博高編2018『スペイン帝国と複合君主制』昭和堂
田村うらら2013『トルコ絨毯が織りなす社会生活』世界思想社
陳高華1984『元の大都』中公新書
中嶋浩朗、中嶋しのぶ2006『フィレンツェ歴史散歩』白水社
成田龍一他編2020『〈世界史〉をいかに語るか』岩波書店

服部文昭2020『古代スラヴ語の世界史』
藤田みどり2005『アフリカ「発見」』岩波書店
本田創造1991『アメリカ黒人の歴史』岩波新書
前川久美子2015『中世パリの装飾写本』工作舎
前嶋信次2000–01『前嶋信次著作選』東洋文庫
村井章介2019『古琉球　海洋アジアの輝ける王国』角川選書
本村凌二2005『多神教と一神教』岩波新書
森島恒雄1970『魔女狩り』岩波新書
八木久美子2015『慈悲深き神の食卓』東京外国語大学出版会
渡辺一夫1992『フランス・ルネサンスの人々』岩波文庫
アシル・リュシェール1990『フランス中世の社会』東京書籍
アミン・マアルーフ1989『レオ・アフリカヌスの生涯』リブロポート
アラン・パーマー1998『オスマン帝国衰亡史』中央公論社
アンガス・コンスタム2011『図説スペイン無敵艦隊』原書房
アントニア・フレイザー1995『スコットランド女王メアリ』中公文庫
アンドルー・ペティグリー2017『印刷という革命』白水社
アンリ・トロワイヤ1987『イヴァン雷帝』中公文庫
アンリ・トロワイヤ1987『大帝ピョートル』中公文庫
イブン・ジュバイル2009『イブン・ジュバイルの旅行記』講談社学術文庫
イリス・オリーゴ1997『プラートの商人』白水社
ウィリアム・シェイクスピア1983『シェイクスピア全集』白水Uブックス
エドワード・W・サイード1993『オリエンタリズム』平凡社
エラスムス1954『痴愚神礼賛』岩波文庫
エルンスト・H・カントーロヴィチ1992『王の二つの身体』平凡社
ガザーリー2003『誤りから救うもの』ちくま学芸文庫
ギヨーム＝トマ・レーナル2015『両インド史』法政大学出版局
K・ポメランツ2009–15『大分岐』名古屋大学出版会
ゲオルク・シュタットミュラー1989『ハプスブルク帝国史』刀水書房
コロンブス2011『全航海の報告』岩波文庫
サアディー1964『薔薇園』東洋文庫
J・L・アブー＝ルゴド2001『ヨーロッパ覇権以前』岩波書店
ジャック・ル＝ゴフ2006『中世の身体』藤原書店
ジャン・オリユー1990『カトリーヌ・ド・メディシス』河出書房新社
ジャン・ユレ2013『シチリアの歴史』文庫クセジュ
ジュール・ブロック1973『ジプシー』文庫クセジュ
ジョルジョ・ヴァザーリ1982『ルネサンス画人伝』白水社
ジョルジョ・ヴァザーリ1989『ルネサンス彫刻家建築家列伝』白水社
ジョン・ロック2010『統治二論』岩波文庫
ジョン・ダーウィン2020『ティムール以後』国書刊行会
シルレル1988『三十年戦史』岩波文庫
セルバンテス2001『ドン・キホーテ』岩波文庫
ティルソ・デ・モリーナ2014『セビーリャの色事師と石の招客』岩波文庫
ドーソン1968–79『モンゴル帝国史』東洋文庫
トーマス・デ・パドヴァ2014『ケプラーとガリレイ』白水社
トビー・グリーン2010『異端審問』中央公論社
トビー・レスター2015『第四の大陸』中央公論新社
トマス・モア1957『ユートピア』岩波文庫

ナイジェル・クリフ2018『ヴァスコ・ダ・ガマの「聖戦」』白水社
ハーフィズ1976『ハーフィズ詩集』東洋文庫
バーブル2014-15『バーブル・ナーマ』東洋文庫
パオルッチほか2015『芸術の都　フィレンツェ大図鑑』西村書店
ハロルド・アクトン2012『メディチ家の黄昏』白水社
ピーター・バーク2005『ルネサンス』岩波書店
ピエロ・ベヴィラックワ2008『ヴェネツィアと水』岩波書店
フィリップ・ゴス2010『海賊の世界史』中公文庫
ブーヴェ1970『康熙帝伝』東洋文庫
プーシキン1957『ボリス・ゴドゥノフ』岩波文庫
フランシス・ロビンソン2009『ムガル皇帝歴代誌』創元社
ブルース・ローレンス2008『コーラン』ポプラ社
ブルクハルト1974『イタリア・ルネサンスの文化』中公文庫
ホイジンガ2018『中世の秋』中公文庫
ポール・キンステッド2013『チーズと文明』築地書館
ホセ・ソリーリャ1949『ドン・ファン・テノーリオ』岩波文庫
ホッブス1992『リヴァイアサン』岩波文庫
マーカス・レディガー2014『海賊たちの黄金時代』ミネルヴァ書房
マキァヴェッリ2012『フィレンツェ史』岩波文庫
マックス・ヴェーバー1989『プロテスタンティズムの倫理と資本主義の精神』岩波文庫
マルク・ブロック1998『王の奇跡』刀水書房
マルティン・ルター1955『新訳　キリスト者の自由・聖書へ序言』岩波文庫
マルティン・ルター1954『現世の主権について　他二篇』岩波文庫
ミシェル・カルモナ2020『マリ・ド・メディシス』国書刊行会
ミシュレ2004『魔女』岩波文庫
ラス・カサス2009『インディアス史』岩波文庫
ル＝ロワ＝ラデュリ2019『気候と人間の歴史』藤原書店
ルネ・ゲルダン2014『フランソワ一世』国書刊行会
レジーヌ・ペルヌー1997『中世を生きぬく女たち』白水社
レジーヌ・ペルヌー他2003『フランス中世歴史散歩』白水社

ちくま新書

1058
定年後の起業術
津田倫男
人生経験豊かなシニアこそ、起業すべきである——第二の人生を生き甲斐のあふれる実り豊かなものにしたいあなたに、プロが教える、失敗しない起業のコツと考え方。

1061
青木昌彦の経済学入門
——制度論の地平を拡げる
青木昌彦
社会の均衡はいかに可能なのか？　現代の経済学を主導した碩学の知性を一望し、歴史的な連続／不連続性のなかで、ひとつの社会を支えている「制度」を捉えなおす。

1065
中小企業の底力
——成功する「現場」の秘密
中沢孝夫
国内外で活躍する日本の中小企業。その強さの源は何か？　独自の技術、組織のつくり方、人材育成……。多くの現場取材をもとに、成功の秘密を解明する一冊。

1260
金融史がわかれば世界がわかる【新版】
——「金融力」とは何か
倉都康行
金融取引の相関を網羅的かつ歴史的にとらえ、資本主義がどのように発展してきたかを観察。旧版を大幅に改訂し、実務的な視点から今後の国際金融を展望する。

1092
戦略思考ワークブック【ビジネス篇】
三谷宏治
Ｓｕｉｃａ自販機はなぜ１・５倍も売れるのか？　１着25万円のスーツをどう売るか？　20の演習で、明日から使える戦略思考が身につくビジネスパーソン必読の一冊。

1166
ものづくりの反撃
中沢孝夫
藤本隆宏
新宅純二郎
「インダストリー4.0」「ＩｏＴ」などを批判的に検証し、日本の製造業の潜在力を分析。現場で思考をつづけてきた経済学者が、日本経済の夜明けを大いに語りあう。

1179
日本でいちばん社員のやる気が上がる会社
——家族も喜ぶ福利厚生100
坂本光司＆
坂本光司研究室
全国の企業１０００社にアンケートをし、社員と家族を幸せにしている100の福利厚生事例と、業績にも確実によい効果が出ているという分析結果を紹介する。

842
組織力
――宿す、紡ぐ、磨く、繋ぐ
高橋伸夫
経営の難局を打開するためには、〈組織力〉を宿し、紡ぎ、磨き、繋ぐことが必要だ。新入社員から役員まで、組織人なら知っておいて損はない組織論の世界。

065
マクロ経済学を学ぶ
岩田規久男
景気はなぜ変動するのか。経済はどのようなメカニズムで成長するのか。なぜ円高や円安になるのか。基礎理論から財政金融政策まで幅広く明快に説く最新の入門書。

884
40歳からの知的生産術
谷岡一郎
マネジメントの極意とは？　時間管理・情報整理・知的生産の3ステップで、その極意を紹介。ファイル術からアウトプット戦略まで、成果をだすための秘訣がわかる。

928
高校生にもわかる「お金」の話
内藤忍
お金は一生にいくら必要か？　お金の落とし穴って何だ？　AKB48、宝くじ、牛丼戦争など、身近な喩えでわかりやすく伝える、学校では教えない「お金の真実」。

1006
高校生からの経済データ入門
吉本佳生
データの収集、蓄積、作成、分析。数字で考える「頭」は、情報技術では絶対に買えません。高校生でも、そして大人でも、分析の技法を基礎の基礎から学べます。

1032
マーケットデザイン
――最先端の実用的な経済学
坂井豊貴
腎臓移植、就活でのマッチング、婚活パーティー!?　お金で解決できないこれらの問題を解消する画期的な思考を解説する。経済学が苦手な人でも読む価値あり！

1046
40歳からの会社に頼らない働き方
柳川範之
誰もが将来に不安を抱える激動の時代を生き抜くには、どうするべきか？　「40歳定年制」で話題の経済学者が、新しい「複線型」の働き方を提案する。

701
こんなに使える経済学
――肥満から出世まで
大竹文雄編
肥満もたばこ中毒も、出世も談合も、経済学的な思考を上手に用いれば、問題解決への道筋が見えてくる！　経済学のエッセンスが実感できる、まったく新しい入門書。

785
経済学の名著30
松原隆一郎
スミス、マルクスから、ケインズ、ハイエクを経てセンまで。各時代の危機に対峙することで生まれた古典には混沌とする経済の今を捉えるためのヒントが満ちている！

822
マーケティングを学ぶ
石井淳蔵
市場が成熟化した現代、生活者との関係をどうデザインするかが企業にとって大きな課題となる。著者はここを起点にこれからのマーケティング像を明快に提示する。

827
現代語訳 論語と算盤
渋沢栄一
守屋淳訳
資本主義の本質を見抜き、日本実業界の礎となった渋沢栄一。経営・労働・人材育成など、利潤と道徳を調和させる経営哲学には、今なすべき指針がつまっている。

1516
渋沢栄一
――日本のインフラを創った民間経済の巨人
木村昌人
日本の産業基盤と民主化を創出した「民間」の巨人、渋沢の生涯とその思想の全貌に迫る決定版。東アジアの一国がどう時代を切り拓くかを熟考したリーダーの軌跡。

831
現代の金融入門【新版】
池尾和人
情報とは何か。信用はいかに創り出されるのか。金融の本質に鋭く切り込みつつ、平明かつ簡潔に解説した定評ある入門書。金融危機の経験を総括した全面改訂版。

837
入門　経済学の歴史
根井雅弘
偉大な経済学者たちは時代の課題とどう向き合い、それぞれの理論を構築したのか。主要テーマ別に学説史を描くことで読者の有機的な理解を促進する決定版テキスト。

ちくま新書

1603
文学部の逆襲
――人文知が紡ぎ出す人類の「大きな物語」

波頭亮

疲弊した資本主義と民主主義を刷新し、AIが拓く新しい時代には、哲学や美学、歴史や芸術といった人文の知性こそが必要だ。テクノロジー全盛時代の挑発の書。

1615
戦略思想史入門
――孫子からリデルハートまで

西田陽一

六人の戦略家――孫子（孫武）、マキャベリ、ジョミニ、クラウゼヴィッツ、マハン、リデルハートの思想を解説。古代から現代までの、戦略思想の流れがわかる入門書。

002
経済学を学ぶ

岩田規久男

交換と市場、需要と供給などミクロ経済学の基本問題から財政金融政策などマクロ経済学の基礎までを、現実の経済問題に即した豊富な事例で説く明快な入門書。

225
知識経営のすすめ
――ナレッジマネジメントとその時代

野中郁次郎
紺野登

日本企業が競争力をつけたのは年功制や終身雇用の賜物のみならず、組織的知識創造を行ってきたからである。知識創造能力を再検討し、日本的経営の未来を探る。

336
高校生のための経済学入門

小塩隆士

日本の高校では経済学をきちんと教えていないようだ。本書では、実践の場面で生かせる経済学の考え方をわかりやすく解説する。お父さんにもピッタリの再入門書。

565
使える！ 確率的思考

小島寛之

この世は半歩先さえ不確かだ。上手に生きるには、可能性を見積もり適切な行動を選択する力が欠かせない。確率のテクニックを駆使して賢く判断する思考法を伝授！

619
経営戦略を問いなおす

三品和広

戦略と戦術を混同する企業が少なくない。見せかけの「戦略」は企業を危うくする。現実のデータと事例を数多く紹介し、腹の底からわかる「実践的戦略」を伝授する。

ちくま新書

1285 イスラーム思想を読みとく　松山洋平
「過激派」と「穏健派」はどこが違うのか？　テロに警鐘を鳴らすのでも、平和な宗教として擁護するのでもない、イスラームの対立構造を浮き彫りにする一冊。

1286 ケルト 再生の思想 ――ハロウィンからの生命循環　鶴岡真弓
近年、急速に広まったイヴェント「ハロウィン」。この祭りに封印されたケルト文明の思想を解きあかし、古代ヨーロッパの精霊を現代へよみがえらせる。

1370 チベット仏教入門 ――自分を愛することから始める心の訓練　吉村均
生と死の教えが世界的に注目されているチベットの仏教。その正統的な教えを解説した初めての入門書。基礎的な知識から学び方、実践法までをやさしく説き明かす。

1424 キリスト教と日本人 ――宣教史から信仰の本質を問う　石川明人
日本人の99％はなぜキリスト教を信じないのか？　宣教師たちの言動や、日本人のキリスト教に対する複雑な眼差しを糸口に宗教についての固定観念を問い直す。

1459 女のキリスト教史 ――「もう一つのフェミニズム」の系譜　竹下節子
キリスト教は女性をどのように眼差してきたのか。聖母マリア、ジャンヌ・ダルク、マザー・テレサ……、世界を動かした女性たちの差別と崇敬の歴史を読み解く。

1481 芸術人類学講義　鶴岡真弓編
人類は神とともに生きることを選んだ時、「創造する種」として歩み始めた。詩学、色彩、装飾、祝祭、美術の観点から芸術の根源を問い、新しい学問を眺望する。

1580 疫病の精神史 ――ユダヤ・キリスト教の穢れと救い　竹下節子
近代の衛生観念を先取りしたユダヤ教、病者に寄り添い「救い」を説くキリスト教。ペストからコロナまで、疫病と対峙した人類の歴史を描き、精神の変遷を追う。

ちくま新書

1348
現代語訳 老子
保立道久訳・解説
古代中国の古典「老子」。二千年以上も読み継がれてきたそのテキストを明快な現代語に解きほぐし、老子像を刷新。また、日本の神話と神道の原型を発見する。

890
現代語訳 史記
司馬遷
大木康訳・解説
歴史書にして文学書の大古典『史記』から「権力」と「キャリア」をテーマにした極上のエピソードを選出し、現代語訳。「本物の感触」を届ける最上の入門書。

1098
古代インドの思想
――自然・文明・宗教
山下博司
インダス文明の謎とヒンドゥー教の萌芽。アーリヤ人侵入とヴェーダの神々。ウパニシャッドから仏教・ジャイナ教へ……。多様性の国の源流を、古代世界に探る。

935
ソ連史
松戸清裕
二〇世紀に巨大な存在感を持ったソ連。「冷戦の敗者」「全体主義国家」の印象で語られがちなこの国の内実を丁寧にたどり、歴史の中での冷静な位置づけを試みる。

1019
近代中国史
岡本隆司
中国とは何か？ その原理を解く鍵は、近代史に隠されている。グローバル経済の奔流が渦巻きはじめた時代から、激動の歴史を構造的にとらえなおす。

1080
「反日」中国の文明史
平野聡
文明への誇り、日本という脅威、社会主義と改革開放、矛盾した主張と強硬な姿勢……。驕る大国の本質を悠久の歴史に探り、問題のありかと日本の指針を示す。

1082
第一次世界大戦
木村靖二
第一次世界大戦こそは、国際体制の変化、女性の社会進出、福祉国家化などをもたらした現代史の画期である。戦史的経過と社会的変遷の両面からたどる入門書。

ちくま新書

1467
世界哲学史8
——現代 グローバル時代の知
［責任編集］伊藤邦武／山内志朗
中島隆博／納富信留
西洋現代哲学、ポストモダン思想から、イスラーム、中国、日本、アフリカなど世界各地の現代哲学までを渉猟し、現代文明の危機を打開する哲学の可能性を探る。

1534
世界哲学史 別巻
——未来をひらく
［責任編集］伊藤邦武／山内志朗
中島隆博／納富信留
古代から現代までの『世界哲学史』全八巻を踏まえ、論じ尽くされていない論点、明らかになった新たな課題について考察し、未来の哲学の向かうべき先を考える。

589
デカルト入門
小林道夫
デカルトはなぜ近代哲学の父と呼ばれるのか？ 行動人としての生涯と認識論・形而上学から自然学・宇宙論におよぶ壮大な知の体系を、現代の視座から解き明かす。

666
高校生のための哲学入門
長谷川宏
どんなふうにして私たちの社会はここまできたのか。「知」の在り処はどこか。ヘーゲルの翻訳で知られる著者が、自身の思考の軌跡を踏まえて書き下ろす待望の書。

695
哲学の誤読
——入試現代文で哲学する！
入不二基義
哲学の文章を、答えを安易に求めるのではなく、思考の対話を重ねるように読み解いてみよう。入試問題の哲学文を「誤読」に着目しながら精読するユニークな入門書。

901
ギリシア哲学入門
岩田靖夫
「いかに生きるべきか」という問題は一個人の幸福から「正義」への問いとなり、共同体＝国家像の検討へつながる。ギリシア哲学を通してこの根源的なテーマに迫る。

1060
哲学入門
戸田山和久
言葉の意味とは何か。私たちは自由意志をもつのか。人生に意味はあるか……こうした哲学の中心問題を科学が明らかにした世界像の中で考え抜く、常識破りの入門書。

ちくま新書

1460
世界哲学史1
――古代Ⅰ　知恵から愛知へ
〔責任編集〕伊藤邦武／山内志朗
中島隆博／納富信留
人類は文明の始まりに世界と魂をどう考えたのか。古代オリエント、旧約聖書世界、ギリシアから、中国、インドまで、世界哲学が立ち現れた場に多角的に迫る。

1461
世界哲学史2
――古代Ⅱ　世界哲学の成立と展開
〔責任編集〕伊藤邦武／山内志朗
中島隆博／納富信留
キリスト教、仏教、儒教、ゾロアスター教、マニ教などの宗教的思考について哲学史の観点から領域横断的に検討。「善悪と超越」をテーマに、宗教的思索の起源に迫る。

1462
世界哲学史3
――中世Ⅰ　超越と普遍に向けて
〔責任編集〕伊藤邦武／山内志朗
中島隆博／納富信留
七世紀から一二世紀まで、ヨーロッパ、ビザンツ、イスラーム世界、中国やインド、そして日本の多様な形而上学の発展を、相互の豊かな関わりのなかで論じていく。

1463
世界哲学史4
――中世Ⅱ　個人の覚醒
〔責任編集〕伊藤邦武／山内志朗
中島隆博／納富信留
モンゴル帝国がユーラシアを征服し世界が一体化へと向かう中、世界哲学はいかに展開したか。天や神など超越者に還元されない「個人の覚醒」に注目し考察する。

1464
世界哲学史5
――中世Ⅲ　バロックの哲学
〔責任編集〕伊藤邦武／山内志朗
中島隆博／納富信留
近代西洋思想は、いかにイスラームの影響を受けたスコラ哲学によって準備され、世界へと伝播したか。中国・朝鮮・日本までを視野に入れて多面的に論じていく。

1465
世界哲学史6
――近代Ⅰ　啓蒙と人間感情論
〔責任編集〕伊藤邦武／山内志朗
中島隆博／納富信留
啓蒙運動が人間性の復活という目標をもっていたことを、東西の思想の具体例とその交流の歴史から浮き彫りにしつつ、一八世紀の東西の感情論へのまなざしを探る。

1466
世界哲学史7
――近代Ⅱ　自由と歴史的発展
〔責任編集〕伊藤邦武／山内志朗
中島隆博／納富信留
旧制度からの解放を求めた一九世紀の「自由の哲学」とは何か。欧米やインド、日本などでの知的営為を俯瞰し、自由の意味についての哲学的探究を広く渉猟する。

ちくま新書

1610
金融化の世界史
——大衆消費社会からＧＡＦＡの時代へ
玉木俊明
近世から現在までの欧米の歴史を見なおし、ＧＡＦＡが君臨し、タックスヘイヴンが隆盛する「金融化社会」に至った道のりと、所得格差拡大について考える。

1335
ヨーロッパ　繁栄の19世紀史
——消費社会・植民地・グローバリゼーション
玉木俊明
第一次世界大戦前のヨーロッパは、イギリスを中心に空前の繁栄を誇っていた。奴隷制、産業革命、蒸気船や電信の発達……その栄華の裏にあるメカニズムに迫る。

994
やりなおし高校世界史
——考えるための入試問題８問
津野田興一
世界史は暗記科目なんかじゃない！　大学入試を手掛かりに、自分の頭で歴史を読み解けば、現在とのつながりが見えてくる。高校時代、世界史が苦手だった人、必読。

1609
産業革命史
——イノベーションに見る国際秩序の変遷
郭四志
産業革命を四段階に分け、現在のＡＩ、ＩｏＴによる第四次産業革命に至るまでの各国のイノベーションの変転をたどり、覇権の変遷を俯瞰する新しい世界経済史。

1364
モンゴル人の中国革命
楊海英
内モンゴルは中国共産党が解放したのではない。草原の民は清朝、国民党、共産党といかに戦い、敗れたのか。日本との関わりを含め、総合的に描き出す真実の歴史。

1377
ヨーロッパ近代史
君塚直隆
なぜヨーロッパは世界を席巻することができたのか。「宗教と科学の相剋」という視点から、ルネサンスに始まり第一次世界大戦に終わる激動の五〇〇年を一望する。

1400
ヨーロッパ現代史
松尾秀哉
第二次大戦後の和解の時代が終焉し、大国の時代が復活し、危機にあるヨーロッパ。その現代史の全貌を、国際関係のみならず各国の内政との関わりからも描き出す。

ちくま新書
1287-4

人類5000年史Ⅳ
――1501年～1700年

二〇二二年一月一〇日 第一刷発行

著者 出口治明(でぐち・はるあき)

発行者 喜入冬子

発行所 株式会社 筑摩書房
東京都台東区蔵前二-五-三 郵便番号一一一-八七五五
電話番号〇三-五六八七-二六〇一(代表)

装幀者 間村俊一

印刷・製本 三松堂印刷 株式会社

ISBN978-4-480-06994-8 C0220

索引

あ行

か行

さ行

た行

な行

は行

ま行

や行

ら行

わ行